Chères lectrices,

Pour fêter l'arrivée tant attendue du soleil et de la chaleur, je vous invite ce mois-ci à voyager dans le sillage de nos « Séducteurs de l'été »…

En se rendant à une soirée de bienfaisance organisée par le milliardaire Angelos Zouvelekis, Chantal va voir sa vie bouleversée (n°2895, *Apparences trompeuses* de Sarah Morgan). Dans les pas de cette jeune femme pleine d'énergie et de courage, découvrez un Paris romantique, avant de larguer les amarres pour une île grecque à la beauté brute et préservée qui saura vous enchanter.

Autre roman gorgé de soleil : *Un irrésistible milliardaire* de Melanie Milburne (n°2898), dont l'intrigue se situe à Middle Harbour, en Australie, et à Naples. Gemma, la toute jeune héroïne de cette émouvante histoire, va découvrir l'amour, le vrai, dans les bras d'Andreas, après avoir trouvé la force de faire la paix avec les blessures du passé.

Bien sûr, les autres romans de ce splendide mois de juin vous accompagneront eux aussi sur la plage ! Entre deux baignades, laissez-vous emporter par ces beaux récits…

Très bonne lecture !

La responsable de collection

Aussi fort qu'autrefois…

ANNE McALLISTER

Aussi fort qu'autrefois…

COLLECTION AZUR

éditions Harlequin

Cet ouvrage a été publié en langue anglaise
sous le titre :
ONE-NIGHT LOVE-CHILD

Traduction française de
FRANÇOISE PINTO-MAÏA

HARLEQUIN®

est une marque déposée du Groupe Harlequin
et Azur ® est une marque déposée d'Harlequin S.A.

83-85, boulevard Vincent-Auriol, 75013 PARIS — Tél. : 01 42 16 63 63

Service Lectrices — Tél. : 01 45 82 47 47
www.harlequin.fr

ISBN 978-2-2808-0812-5 — ISSN 0993-4448

1.

— Je ne sais pas ce qu'est cette… chose, Monsieur le Comte.

Mme Upham tenait à deux doigts une enveloppe bleu pâle, toute tachée et déchirée.

— Ce courrier est… particulièrement sale, poursuivit-elle d'un air dégoûté.

Elle avait posé le reste de la correspondance sur le bureau de Flynn, en trois tas bien distincts, selon son habitude. Ce qui concernait les affaires de la propriété — la plus grosse pile — puis les lettres d'ordre professionnel, y compris celles des lecteurs. Enfin, le courrier personnel, qui lui était adressé par son frère et sa mère.

Tout était méticuleusement rangé, comme si elle songeait à faire de même dans la vie de son patron.

Eh bien, bon courage ! pensa Flynn avec ironie.

Car son existence était centrée sur Dunmorey, vieux château de quelque cinq cents ans, humide et délabré, rempli des portraits de ses aristocratiques ancêtres qui semblaient se gausser de ses efforts à vouloir conserver un toit au-dessus de leurs têtes. Comme si cela ne suffisait pas, son frère Dev, passionné de chevaux, parlait de faire revivre le haras, alors qu'ils n'avaient pas un sou vaillant, et sa mère, veuve depuis sept mois, ne cessait de lui répéter qu'il devait prendre une épouse !

Comment, dans ces circonstances, la méticuleuse Mme Upham pouvait-elle trouver le moindre agrément à organiser son quotidien ? Pour l'heure, le meilleur conseil que Flynn pût lui donner, c'était de jeter cette lettre.

Conseil que son père aurait certainement approuvé, pour une fois, pensa-t-il. Car feu le huitième comte de Dunmorey n'avait jamais accordé le moindre intérêt à ce qui n'avait pas d'apparence convenable. N'avait-il pas un jour jeté une lettre que Flynn avait griffonnée sur un papier d'emballage, depuis un pays en guerre où il se trouvait en reportage ? « Si tu ne peux faire l'effort d'écrire un courrier digne de ce nom, je refuserai de le lire », l'avait-il informé à son retour.

Tandis que Flynn se débattait maintenant avec les problèmes du château, il croyait encore entendre son père lui faire des reproches... « Je savais que tu n'y arriverais pas. A sauver le château, à être un comte respecté et responsable, à... »

— Monsieur le Comte ? insista Mme Upham.

Flynn leva les yeux, passablement irrité. Il lui fallait revérifier les comptes, voir si, d'une manière ou d'une autre, il disposait d'assez d'argent pour remplacer le toit *et* rénover les écuries, avant que Dev ne revienne de Dubaï avec le nouvel étalon.

Impossible ! Il avait plus de chances d'atteindre la liste des best-sellers du *New York Times* avec son nouveau livre qui sortait aux Etats-Unis le mois prochain. Car, quoi qu'en eût dit son père, il écrivait avec talent. Journaliste, il s'était distingué par ses interviews sans complaisance, ses articles de fond. Mais c'était avant que le titre de comte ne vienne bouleverser sa vie.

Pour autant, il n'allait pas renoncer à ses responsabilités au sujet de Dunmorey, même si la bataille qu'il avait engagée pour sauvegarder le vieux château irlandais était ardue. C'était une obligation, pas un plaisir, et en tant que fils cadet, il n'avait jamais prévu de l'endosser. Il en avait hérité par un malheureux hasard, alors qu'il avait eu en tête d'autres projets. Qu'à cela ne tienne ! Il était farouchement déterminé à montrer qu'il était capable de relever le défi.

— Le courrier urgent est ici, Monsieur le Comte, fit remarquer Mme Upham. Je jette donc cette saleté, n'est-ce pas ?

Flynn opina et reprit ses calculs.

— Puis-je vous apporter une tasse de thé, Monsieur le Comte ? Votre père aimait que je lui serve du thé au moment du courrier.

Flynn serra les dents à cette nouvelle interruption.

— Non, merci, Madame Upham. Je préfère être seul !

S'il ne ressemblait pas à son père — et Dieu merci ! pensa-t-il —, il avait sa propre notion de l'autorité. Et chaque fois qu'il en usait, Mme Upham comprenait le message.

— Très bien, Monsieur le Comte, fit-elle avant de se retirer.

Flynn recommença à additionner ses colonnes de chiffres. Mais il n'obtenait toujours pas le résultat escompté. En soupirant, il se laissa aller contre le dossier du fauteuil et fit quelques mouvements d'épaule pour chasser la tension qui l'accablait. Dans une heure, il avait rendez-vous avec un entrepreneur pour évaluer les travaux à effectuer dans les écuries, avant le retour de Dev avec l'étalon dans deux semaines.

Ce cheval était un champion et promettait d'être d'un bon rapport. Il devenait donc urgent de retaper les écuries.

Sauf que les prix de la saillie et les droits d'auteur semblaient bien insuffisants pour restaurer Dunmorey et le domaine.

Le château appartenait à la famille depuis plus de trois cents ans. Il avait connu des jours meilleurs et des périodes sombres. Pour Flynn, il justifiait amplement la devise gaélique familiale : *Eireoidh Linn* — Nous vaincrons malgré l'adversité. Ce que son père avait eu coutume de traduire par : *Nous survivrons !* pour ceux de ses convives qui ne parlaient qu'anglais.

Et jusque-là, ils avaient survécu. Le château n'étant plus un bien inaliénable, sa famille aurait pu le vendre. Elle ne l'avait pas fait. Et Flynn préférait être pendu que d'être le premier à perdre la bataille.

Pas facile cependant, quand le courrier apportait quotidiennement des devis aux montants exorbitants et des factures tout aussi astronomiques. Il avait déjà mis le château en gage pour acheter le cheval et faire fonctionner le haras…

Flynn se leva et arpenta la pièce, le front soucieux. Comme il revenait vers son bureau, son regard tomba sur l'enveloppe bleuâtre dans la corbeille à papier.

Aussi sale et froissée que Mme Upham l'avait dit. Elle ne contenait certainement pas une facture, encore moins une invitation d'un notable du comté. Son nom y était inscrit, suivi d'une demi-douzaine d'adresses successives. Comme un message de sa vie d'avant…

Intrigué, Flynn se pencha pour la ramasser. Elle lui avait été initialement adressée au siège du magazine *Incite* à New York, nota-t-il avec stupéfaction.

Il avait écrit des chroniques mondaines pour ce journal, mais cela remontait à des années. Il ne travaillait plus pour *Incite* depuis qu'il avait couvert la fameuse kermesse western d'Elmer, dans le Montana, six ans plus tôt.

Son père n'avait pas manqué de critiquer son travail, arguant qu'il n'était pas capable d'écrire des articles sérieux.

Il l'avait fait par la suite, comme l'attestait la succession d'adresses sur cette enveloppe : Afrique, Inde orientale, Asie centrale, Amérique du Sud, Moyen-Orient… Il était allé partout où était le danger.

Il fixa l'enveloppe, submergé par une avalanche de souvenirs fugaces. Comment cette lettre l'avait-elle suivi jusqu'ici ? Il ne reconnaissait pas l'écriture nerveuse et féminine qui avait adressé ce courrier à New York. Le timbre américain avait été oblitéré cinq ans plus tôt, en novembre. A l'époque, il se trouvait en pleine jungle amazonienne en reportage sur des guerres intertribales. Cela lui avait coûté très cher.

— Tu es sûr de vouloir couvrir ces événements ? avait demandé son éditeur londonien, quand Flynn lui avait annoncé son projet. Tu as déjà été blessé par balle l'an dernier. Cette fois, tu pourrais bien y laisser ta peau.

L'argument avait conforté Flynn au lieu de le dissuader. Son frère aîné, Will — l'héritier —, avait trouvé la mort quelques mois plus tôt. Un drame stupide dont Flynn avait été tenu pour responsable.

— Il allait te chercher à l'aéroport ! avait hurlé le comte, fou de douleur. Parce que tu étais blessé !

Oui, mais c'était Will qui était mort. Will, toujours serviable, s'était arrêté pour aider un automobiliste en panne… et avait été fauché par une voiture.

En un instant, le monde avait basculé. Will n'étant plus, Flynn était devenu l'héritier. Sa blessure guérie, personne — et certainement pas son père — n'avait fait d'objection à ce qu'il parte au cœur des conflits en Amérique du Sud. Ni quand par la suite, il avait accepté des missions de plus en plus périlleuses, où plus d'une fois, il avait été pris pour cible. Mais quand son père était mort en juillet dernier, Flynn était devenu le nouveau comte de Dunmorey. Cantonné dans le fief ancestral, il ne voyageait plus.

C'était peu dire que cette lettre vieille de cinq ans, qui l'avait suivi à travers le monde, ravivait sa curiosité.

Il ouvrit l'enveloppe. Celle-ci ne contenait qu'un feuillet.

« Flynn,

» C'est la troisième lettre que je t'envoie. Rassure-toi, je ne t'en écrirai pas d'autres. Je ne réclame rien, mais j'estime que tu as le droit de savoir.

» Le bébé est né ce matin un peu après 8 heures. Il pèse

3,800 kg. Il est vigoureux et en pleine forme. Je lui donne le nom de mon père. Bien sûr, je l'élèverai.

Sara »

Flynn fixa ces lignes, tâchant d'en comprendre le sens, de les replacer dans un contexte cohérent.

Réclame rien... Droit de savoir... Bébé...

Son cœur fit un bond dans sa poitrine. La feuille se mit à trembler entre ses doigts, tandis qu'il fixait la signature.

Sara.

Une image s'imposa immédiatement à son esprit : de beaux yeux sombres, une peau nacrée et des cheveux bruns coupés court. Des lèvres au goût de cannelle et d'épices mêlées...

Sara McMaster. Délicieuse Sara du Montana... Seigneur ! Tout devenait clair à présent. Sara avait été enceinte. Elle avait accouché d'un garçon !

« Mon fils », songea-t-il, abasourdi.

C'était la Saint-Valentin.

Sara avait de bonnes raisons de ne pas l'oublier. Primo, parce que, la veille, elle avait aidé Liam, son fils de cinq ans, à écrire son nom sur des cartes ornées de cœurs et de héros de dessins animés. Secundo, parce que pour la première fois depuis la naissance de Liam, elle avait un rendez-vous galant. Adam Benally l'avait invitée à dîner.

Contremaître dans un ranch voisin, Adam lui avait apporté un jour les livres comptables de son employeur, et c'est ainsi qu'ils avaient fait connaissance. Veuf, il parlait rarement de son passé, mais ne lui avait pas caché qu'il essayait encore de vaincre ses démons.

Justement, Sara était aussi dans cet état d'esprit, ce qui l'amenait à penser qu'Adam et elle avaient beaucoup de choses en commun. Et ce n'était pas sa mère, Polly, qui allait la désapprouver de sortir ce soir.

— Tu ne peux pas continuer à vivre en recluse à cause d'une expérience malheureuse, lui répétait-elle.

Sans doute avait-elle raison pour ce qui était de « vivre en recluse », se dit Sara. C'était « l'expérience malheureuse » qui lui était insupportable.

Si elle avait traversé des moments pénibles, les trois jours qu'avait duré son histoirc avcc le père de Liam avaient été les plus beaux de sa vie. Depuis… rien. Elle avait des frissons d'angoisse à l'idée de faire confiance à un homme, d'aimer de nouveau.

Mais finalement, elle avait décidé de tenter sa chance avec Adam. Une invitation à dîner, c'était un premier pas.

— Il est temps, avait commenté Polly, quand Sara l'avait avertie. Tu dois chasser certains fantômes.

Non, juste un seul, pensa la jeune femme. Celui qu'elle voyait en miniature, chaque fois qu'elle regardait son fils. Mêmes cheveux noirs hirsutes, mêmes yeux vert jade.

Vivement, elle se ressaisit. Ce n'était pas le moment de repenser à tout cela. A *lui*. Le père de Liam appartenait au passé. Pourquoi se le rappelait-elle aujourd'hui ? Parce que c'était la Saint-Valentin et qu'elle avait accepté l'invitation d'Adam. Parce qu'il hantait ses pensées depuis six ans.

— Arrête ! s'intima-t-elle à haute voix.

Elle devait se concentrer sur l'avenir. Sur Adam. Qu'attendait-il d'elle au juste ?

Elle fit du thé, réfléchit à la tenue qu'elle allait porter ce soir, à ce qu'elle dirait pour entretenir une conversation intéressante. Elle n'avait pas l'habitude de rencontrer des hommes. L'occasion ne s'était pas présentée depuis…

Non, bon sang ! Ne t'aventure pas sur ce terrain !

Résolument, Sara posa sa tasse sur la table de la cuisine et ouvrit les dossiers qui l'attendaient. Si elle terminait les comptes de la quincaillerie avant que Liam rentre de l'école, elle pourrait s'accorder une pause, aller faire un bonhomme de neige avec lui. Puis Liam irait passer la nuit chez tante Célie qui habitait dans la même rue, avec son mari, Jace, et leurs enfants.

— Pourquoi toute la nuit ? avait demandé Sara quand Célie lui avait offert de garder son fils. Je sors seulement dîner. Je ne vais pas passer la nuit chez lui !

— Tu auras peut-être envie de l'inviter après. A prendre un café, avait répondu sa tante avec un sourire suggestif.

Ce n'était pas ce que Sara avait en tête. Il ne se passerait rien au-delà du dîner. Pourquoi précipiter les choses, alors qu'elle n'avait pas eu d'aventure avec un homme depuis six ans. Six ans ! C'était à peine croyable.

Mais où aurait-elle trouvé le temps pour cela ? Après la naissance de Liam, elle avait suivi des cours de comptabilité, puis s'était mise à son compte. Entre son fils, ses études et les petits boulots exercés pour joindre les deux bouts, elle n'avait guère eu le temps de penser aux hommes.

Ni même l'envie. Chat échaudé craint l'eau froide, disait-on. Si la première fois, elle avait été insouciante, aujourd'hui, elle prendrait les choses comme elles viendraient, sans s'emballer. Ce rendez-vous se limiterait donc à un dîner, et peut-être un rapide baiser sur la bouche. Oui, elle saurait faire ça.

Mais d'abord, se mettre au travail. L'un des avantages de sa profession d'expert-comptable indépendant était qu'elle l'exerçait chez elle. Ce qui était pratique pour s'occuper de Liam.

L'inconvénient était qu'on se laissait facilement distraire. De nouveau, elle se concentra sur les documents comptables de la quincaillerie. Cette fois, les colonnes de chiffres accaparèrent son attention, sans laisser à son esprit le loisir de s'évader.

Jusqu'à ce qu'un coup brutal à la porte la fît sursauter. Dans le mouvement, elle renversa du thé sur le bilan qu'elle préparait.

— Zut !

Sara attrapa l'éponge et nettoya les dégâts, tout en maudissant le livreur qui était le seul à venir jusqu'à la porte de devant. Il lui apportait des fournitures de bureau dont elle avait besoin. Mais elle ne se souvenait pas…

Bang ! Bang ! Bang !

Ce n'était pas le livreur. Celui-ci repartait aussitôt après avoir déposé ses marchandises sur le perron. Il ne frappait jamais deux fois.

Bang ! Bang ! Bang !

Et encore moins trois.

— J'arrive ! cria-t-elle.

Elle courut à la porte et l'ouvrit brutalement… sur un spectre du passé.

Oh, mon Dieu ! Elle était victime d'une hallucination !… La perspective d'avoir un rendez-vous avait fait jaillir ce fantôme des profondeurs de son esprit. Il paraissait plus vrai que nature pourtant et plus séduisant que jamais. Grand, élancé, mince, mais avec des épaules plus larges que dans son souvenir. Comme pour le rendre plus réel, des flocons de neige s'accrochaient dans ses cheveux. Ce détail aurait dû lui conférer un air plus doux. En fait, il n'en était rien. Il gardait l'apparence d'un dangereux prédateur. Comme avant.

— Sara ?

Sa bouche sensuelle s'incurva en un sourire oblique diaboliquement séduisant qu'elle reconnut. Trop bien même, pour avoir embrassé ces lèvres-là et goûté son rire, ses paroles, ses gémissements passionnés…

Sara sentit le feu échauffer son visage, puis son corps tout entier. Elle se tordit les mains sous l'effet puissant de l'illusion.

— Tu es devenue muette, *a stór* ?

Cette voix profonde aux inflexions irlandaises fit courir un long frisson sur sa nuque.

— Va-t'en ! lança-t-elle en fermant les yeux pour chasser l'hallucination.

Mentalement, Sara compta jusqu'à 10, puis rouvrit les paupières… et vacilla en constatant que la vision ne s'estompait pas. Il portait un jean, un pull noir et un blouson. Il ne s'était pas rasé depuis un jour ou deux. Ses yeux étaient injectés de sang et ses cils sombres étonnamment longs papillotaient sous les flocons de neige. Alors, elle remarqua une petite cicatrice au coin de ses lèvres. Ce détail ne faisait pas partie de ses souvenirs. L'apparition était donc bien réelle ?…

Six ans plus tôt, elle avait rêvé de ce moment, s'était accrochée à l'espoir qu'il reviendrait à Elmer, vers elle. Pendant neuf mois, elle avait rêvé, espéré, prié. Et il n'était jamais venu, n'avait pas appelé, pas écrit.

Et voilà qu'il se présentait sur le pas de sa porte, comme surgi de nulle part. Sara sentit son cœur chavirer. Une vague de chagrin l'étreignit, si intense qu'elle fut d'abord incapable d'articuler un son.

Quand enfin elle recouvra sa voix, elle s'efforça de la rendre froide et indifférente.

— Flynn.

Flynn Murray. L'homme qui avait pris son cœur, lui avait fait un enfant et l'avait abandonnée sans un autre regard.

Du reste, il ne lui avait jamais promis de rester. Il n'avait rien promis — sauf de la blesser.

Et bon sang ! Ça, il avait su le faire.

A l'époque, bien sûr, elle ne l'en avait pas cru capable. A dix-neuf ans, dotée d'une nature volontaire et d'un solide sens pratique, elle s'était déjà fixé des buts dans la vie. Le fait de tomber amoureuse de Flynn avait tout remis en question. Elle l'avait rencontré quand il était venu en tant que journaliste couvrir la kermesse western à Elmer. Entre eux, l'attirance avait été immédiate, intense, comme un heureux mystère. Sara avait cru trouver en lui l'autre moitié d'elle-même. Il avait bouleversé son univers, lui faisant entrevoir des choses qu'elle n'avait encore jamais osé désirer. Et pendant quelques jours, quelques semaines, elle s'était prise à croire que celles-ci se réaliseraient.

Elle n'était plus si sotte à présent. Elle connaissait le goût amer de la blessure et du chagrin et avait appris à surmonter les épreuves. Et jamais plus, elle ne s'y exposerait.

— Tu es belle, dit-il. Plus encore que dans mon souvenir.

Sara se raidit instinctivement.

— Toi, tu as vieilli, répondit-elle sèchement.

Son physique était presque âpre. Les lignes et les angles de son visage s'étaient accentués, lui conférant une certaine austérité. Il restait séduisant, bien sûr, peut-être même plus qu'autrefois. A vingt-six ans, Flynn Murray avait été éternellement souriant, avec une démarche féline et un charme typiquement irlandais. A trente-deux, il dégageait une rudesse presque sauvage, empreinte de lassitude, comme un homme qui revient de la guerre.

Ses cheveux étaient parsemés de fils d'argent sur les tempes et une autre cicatrice barrait sa pommette droite. Avait-il traité à la légère une femme, qui pour finir s'était muée en tigresse ?

Sara n'aurait pas été autrement étonnée de l'apprendre. Il menait une vie trépidante à épier les célébrités de par le monde. Un métier plus dangereux qu'il n'y paraissait, pensa-t-elle avec ironie.

La bouche de Flynn s'incurva en un sourire désabusé.

— J'ai bourlingué, déclara-t-il en haussant les épaules. Ce ne sont pas tant les années que les kilomètres qui usent.

— Et tu en as parcouru quelques-uns, répliqua-t-elle, acide.

Et en ce qui la concernait, il pouvait continuer ainsi. Elle n'avait pas besoin de lui. Elle refusait qu'il bouleverse sa vie, ses espoirs, son fils…

Mon Dieu ! Liam…

Un élan de panique s'empara d'elle. Etait-ce pour lui que Flynn était revenu, après l'avoir ignoré pendant cinq ans ?

— Que viens-tu faire ici ? demanda-t-elle, sur la défensive.

Comme s'il pouvait lire dans ses pensées, il répondit :

— Je veux connaître mon fils.

2.

Sara se figea, cherchant désespérément à se prémunir contre l'intention qu'il venait d'exprimer, et plus encore peut-être contre la magie de ses yeux verts.

Les dents serrées, elle répliqua :

— Tu arrives un peu tard.

— Je sais, reconnut Flynn gravement. Mais je viens seulement de l'apprendre.

— Oh ! Bien sûr.

Sans s'émouvoir dc son cynisme, il fouilla dans une poche intérieure de son blouson et en sortit une pochette en papier kraft. Il l'ouvrit et fit apparaître une enveloppe sale et froissée, d'un bleu indéfinissable, qu'il lui tendit.

Sara la prit d'un geste automatique et la retourna entre ses doigts. L'enveloppe avait été autrefois d'un joli bleu pastel, se souvint-elle. Sa grand-mère lui avait offert un coffret de correspondance pour son admission à l'université, avec ses initiales gravées. Il devait même lui rester des feuilles et des enveloppes quelque part, car elle n'avait pas souvent eu l'occasion de l'utiliser, mais elle se souvenait parfaitement de cette lettre-là, écrite quelques heures après la naissance de Liam. Même s'il y avait eu peu de chances pour que le père de son fils en tienne compte — puisqu'il n'avait pas daigné répondre aux précédentes, par lesquelles elle lui apprenait qu'elle était enceinte —, elle avait ressenti le besoin de lui écrire une dernière fois. Pour lui donner une ultime chance, espérant en dépit de tout que la nouvelle de la naissance de son bébé le ferait revenir. Elle n'avait pas eu beaucoup de fierté à l'époque.

A présent, c'était différent. Elle aussi était déterminée. Flynn Murray ne la blesserait pas une seconde fois !

— Je ne savais pas, Sara, répéta-t-il.

— Je t'ai écrit avant ça. Deux fois.

— Je n'ai pas reçu ces lettres. J'étais… en voyage. Toujours en déplacement. Je ne travaillais plus pour *Incite*. Ils ont fait suivre ce courrier. D'autres aussi apparemment. Mais je ne l'ai reçu… que la semaine dernière. Et me voici.

Sara voulut parler, puis se ravisa. Qu'y avait-il à dire ? Il était venu, parce qu'il avait découvert l'existence de son fils. Cela n'avait rien à voir avec elle. Et même si ce constat la peinait encore après toutes ces années, elle n'allait certainement pas le lui montrer !

Croisant les bras, elle déclara avec désinvolture :

— Et alors ? Tu veux aussi une médaille ?

Il parut étonné, comme s'il ne s'était pas attendu à son agressivité. S'était-il imaginé qu'elle se jetterait à son cou avec gratitude ? Et puis quoi encore ?

— Je ne veux rien, répondit-il d'une voix sourde. A part l'occasion de connaître mon fils et faire ce que tu auras décidé.

— Comme de partir ?

Flynn se rembrunit davantage.

— C'est ce que tu veux ? Pourquoi ?

— Nous n'avons pas besoin de toi.

En prononçant ces mots pourtant, Sara savait que ce n'était pas l'entière vérité. Si elle ne voulait pas de lui, Liam, lui, réclamait son père à cor et à cri.

— Où est mon papa ? demandait-il depuis un an maintenant.

Et avec la logique de son âge, il enchaînait :

— S'il n'est pas mort, pourquoi ne vient-il pas nous voir ? Les pères divorcés reviennent régulièrement. Celui de Darcy vient bien la voir un week-end sur deux…

— Il ne peut pas, répondait invariablement Sara. Autrement, il viendrait.

Même si elle était persuadée que Flynn les avait délibérément abandonnés, mieux valait raconter à Liam qu'il était dans l'impossibilité de venir le voir pour quelque raison qu'elle ignorait.

— Peut-être qu'il viendra à Noël ?

— N'espère pas trop, Liam.

Autant demander au soleil de ne pas se lever ! Un jour de décembre où elle l'avait emmené au centre commercial de Bozeman, Liam avait marché droit sur le Père Noël. « Comme cadeau, je veux que mon papa rentre à la maison. » Sara en avait été bouleversée et s'était attendue à des larmes au matin de Noël, quand Liam avait découvert que son vœu n'avait pas été exaucé. Heureusement, il avait réagi avec philosophie.

— Je n'ai pas eu mon cheval chez papy et mamie non plus. Il faut que j'attende.

Parce que, bien sûr, le poulain n'était né qu'au printemps.

Et maintenant ?

Sara essayait d'imaginer la réaction du petit garçon quand il rentrerait de l'école tout à l'heure.

— Il doit avoir un père, déclara Flynn à cet instant. Et un père qui l'aime.

L'intonation étrange de sa voix intrigua la jeune femme.

— Je t'assure qu'il va très bien, dit-elle. Mais il n'est pas ici pour l'instant.

— J'attendrai.

La tête légèrement penchée, il l'observait, dans l'expectative. Une expression douce, taquine et rieuse, imprégna soudain ses traits.

— Tu n'as pas peur de moi, j'espère, Sara ?

— Bien sûr que non. Je suis... seulement surprise. Je pensais que ça ne t'intéressait pas.

Le sourire de Flynn disparut. Il prit un air grave.

— Non, Sara. C'est très important pour moi. Si j'avais été au courant, je serais venu aussitôt.

Devait-elle le croire ? Franchement, elle n'en savait rien. Une seule chose était sûre : elle n'allait pas lui claquer la porte au nez. Il avait le droit d'attendre Liam.

Elle s'effaça en hésitant.

— Tu ferais mieux d'entrer.

— Ouf ! Je pensais que tu ne me le proposerais jamais, dit-il avec un large sourire, comme si pas un instant il n'avait douté d'arriver à ses fins.

Sara se raidit contre cette démonstration de charme typiquement irlandais. Mais aussi pour s'assurer qu'il ne la frôlerait pas en passant, s'avoua-t-elle.

Flynn s'avança sur le seuil. Il était si proche qu'elle voyait une veine battre sur son cou et qu'un pan de son blouson lui effleurait les seins. Comme elle inspirait une bouffée d'air, elle capta son parfum, mélange de senteurs boisées et marines qui, dans ses souvenirs, restait à jamais associé à cet homme.

— T'ai-je manqué, Sara ?

Elle secoua vigoureusement la tête.

— Pas le moins du monde.

— Non ? insista-t-il avec un sourire en coin, comme s'il perçait son mensonge. Eh bien, tu m'as manqué à moi. Je ne m'en rendais pas compte avant cet instant...

Et comme s'il n'y avait rien de plus naturel, il se pencha et s'empara de ses lèvres.

Flynn Murray savait y faire. Il l'avait embrassée autrefois

à lui couper le souffle. Elle avait senti son corps fondre, ses jambes flageoler. Des sensations dues à son inexpérience, sans doute.

Sauf que ce baiser-là était tout aussi dévastateur et merveilleux, affamé et destiné à lui prouver combien il lui avait manqué. Prometteur aussi de moments sublimes… et d'années de détresse dans l'enfer de la solitude. Elle était bien placée pour le savoir.

Elle leva les mains pour le repousser, mais bien à l'encontre de sa volonté, ses doigts agrippèrent le blouson de Flynn et s'y cramponnèrent. Tous les souvenirs qu'elle avait si vaillamment tenté d'oublier rejaillirent et la submergèrent, réveillant en elle un désir d'une urgence folle.

Exactement comme autrefois. A cette différence près, qu'elle avait cru alors qu'il partageait ses sentiments.

Plus maintenant.

Flynn était revenu pour son fils. Pas pour elle. C'était cette vérité-là qu'elle devait garder à l'esprit, en dépit de ce baiser ardent qui menaçait sa raison, son bon sens et son équilibre.

Résolument, elle rouvrit les doigts et le repoussa rudement. A sa grande surprise, Flynn tituba maladroitement et alla se cogner contre une chaise, en laissant échapper un juron. Il grimaça et bascula son poids sur sa jambe gauche, avant de se redresser.

Sara n'aurait su dire ce qui la choquait le plus — le baiser ou le fait qu'il n'avait plus cette démarche souple et féline qu'elle lui avait connue ? Tremblante, elle demanda :

— Que… Que t'est-il arrivé ?

— Blessure par balle, maugréa-t-il.

— On t'a… tiré dessus ? bégaya-t-elle, alarmée. Tu as profité d'une femme de trop ?

— C'était un assassin, rectifia-t-il.

— *Quoi ?*

— Il n’essayait pas de me tuer. J’étais dans sa ligne de mire.

Sara secoua la tête, décontenancée.

— Je ne comprends pas.

Et elle n’était pas sûre de vouloir comprendre. Vivement, elle referma la porte et le rejoignit.

— J’étais en Afrique, commença Flynn.

Il cita un petit pays où la situation politique était particulièrement instable.

— Il visait le Premier Ministre. Il l’a manqué. En revanche, il m’a laissé un petit souvenir, termina-t-il, ironique.

Tout ceci n’avait aucun sens pour Sara. L’homme qu’elle avait connu se rendait à New York, à Hollywood et à Cannes. Pas en Afrique ! Et les Premiers Ministres ne faisaient pas partie des VIP à qui il consacrait des articles. Il écrivait des papiers sur les stars en vogue, chanteurs, acteurs ou sportifs.

Mais elle n’eut pas le temps de s’interroger davantage, car à cet instant, la porte au fond du salon s’ouvrit à la volée.

Et Liam fit irruption dans la pièce.

3.

Seigneur ! L'enfant était le portrait tout craché de Will ! Sous le choc, Flynn sentit l'émotion lui nouer la gorge et il aurait vacillé, si le fait d'embrasser Sara ne lui avait pas déjà donné le vertige.

Il avait été bouleversé de la revoir. Quant au baiser… Aucune des femmes qu'il avait embrassées ne lui avait procuré autant de plaisir que Sara McMaster.

Il aurait voulu analyser sa réaction et la sienne, mais pour l'instant, il se tenait, hébété, devant ce petit bonhomme doté d'une formidable énergie, cette réplique miniature de son frère décédé.

Le petit garçon — Lewis, si Sara l'avait baptisé du nom de son père — avait les mêmes cheveux noirs en désordre, le même teint clair parsemé de taches de rousseur. Il tenait aussi des Murray son visage mince, son menton volontaire et sa carrure svelte qui n'était pas sans rappeler un jeune poulain sauvage.

L'enfant ne lui accorda pas un regard. Il fonça à travers le salon, les yeux rivés sur sa mère. Des yeux, aussi verts que ceux de Will et de tous les siens ! songea Flynn, ébahi.

— Regarde, m'man ! cria-t-il en fourrant dans les mains de Sara une boîte décorée d'un cœur. J'ai eu plein de cartes ! Il y en a une vraiment super de Katie. Elle m'aime bien, tu crois ?

Sur quoi, il grimpa sur une chaise et entreprit d'enlever ses bottes.

Flynn capta le coup d'œil rapide que Sara lui lança. Que voyait-elle au juste ? Il devait avoir l'air complètement groggy.

— Bien sûr qu'elle t'aime bien, Liam, répondit-elle.

Liam ? Le diminutif irlandais de... *William* ? Flynn eut l'impression de recevoir un coup de poing en pleine poitrine. A tâtons, il chercha l'appui d'une chaise.

— Liam... ? répéta-t-il d'une voix étranglée par l'émotion.

En entendant son nom, le petit garçon s'immobilisa et, pour la première fois, le contempla avec curiosité. Instantanément, Sara se plaça entre eux, par précaution.

— Oui, c'est ainsi que nous l'appelons, se défendit-elle. Je t'ai dit que je l'avais baptisé du nom de mon père, Lewis William. Mais il a sa propre personnalité.

Elle prononça ces mots comme si elle le défiait de la contredire. Flynn n'en fit rien. Il en était incapable.

— Je suis... seulement surpris. C'était... le nom de mon frère, William. Nous l'appelions... Will.

— C'était ? s'étonna Sara, notant qu'il avait employé le passé.

— Il est mort. Il y a presque six ans.

Leurs regards s'accrochèrent, se rivèrent l'un à l'autre. Sara semblait hébétée, elle aussi. Dans ses yeux passaient mille questions, auxquelles il ne pouvait répondre. Du moins, pas maintenant.

— Je suis désolée, murmura-t-elle. Je ne savais pas.

Un regret sincère imprégnait sa voix. La gorge serrée, Flynn acquiesça :

— Oui. C'est... une surprise de plus.

Le silence retomba. Personne ne bougeait, ni ne parlait. Au bout d'un moment, Flynn prit conscience que Liam dégringolait de sa chaise pour s'approcher de sa mère. Sans doute essayait-il de comprendre ce qui se passait, et il espérait qu'elle le lui dirait. Mais Sara ne parut même pas le voir.

Le petit garçon suivit la direction de son regard. Les yeux de Will… Mon Dieu ! C'étaient vraiment les yeux de son frère qui le fixaient, songea Flynn. Ils se plissèrent ostensiblement, exactement comme lorsque Will toisait quelqu'un qu'il ne connaissait pas.

Il ne faisait aucun doute que le gamin avait perçu le courant d'appréhension qui régnait. Il ressemblait à un petit animal flairant le danger.

Puis, décidant apparemment de ce qu'il avait à faire, il se plaça délibérément devant Sara, comme pour la protéger, et défia Flynn de ce regard vert, direct, que des générations de Murray avaient eu pour défendre les leurs.

— Vous êtes qui ?

Cette question, Flynn l'avait anticipée depuis qu'il avait pris la décision de venir dans le Montana, et il mourait d'envie d'y répondre.

Il ouvrit la bouche, mais les mots tout à coup refusèrent de franchir ses lèvres. Bon sang ! Après avoir imaginé cent fois — mille fois plutôt — le moment où il rencontrerait son fils, il était incapable d'articuler un son. Flynn Murray à court de mots, c'était une première !

Sara aussi attendait, angoissée, qu'il dise quelque chose. Et il ne le pouvait pas !

S'en rendit-elle compte ou décida-t-elle que ce serait une meilleure idée de répondre elle-même ? Toujours est-il qu'elle pressa les épaules de son fils et lui dit d'une voix douce :

— C'est ton père, Liam.

Les yeux de l'enfant s'agrandirent démesurément et il resta bouche bée. Puis brusquement, il se tourna vers sa mère. Tout son corps vibrait d'une question muette.

Sara sourit faiblement.

— Oui, vrai de vrai. Il est venu te voir.

Sans doute fut-il rassuré, car il pivota vers Flynn et, d'un regard franc et curieux, le dévisagea en silence. Un silence qui s'éternisait.

— Où étais-tu ? demanda-t-il enfin d'une voix légèrement rauque.

Prenant une profonde inspiration, Flynn s'éclaircit la gorge.

— J'ai voyagé... Dans de nombreux pays. Dans le monde entier. J'aurais été là plus tôt, mais je ne savais pas que tu étais né.

Liam se tourna vers sa mère.

— Tu m'as dit que tu lui avais écrit, dit-il d'un ton accusateur.

— Et ta mère l'a fait, dit promptement Flynn. Elle m'a écrit avant ta naissance, et après. Seulement, je n'ai pas reçu son courrier. Pas avant plusieurs années.

Il prit l'enveloppe que Sara avait posée sur une étagère et s'approcha de Liam.

— Tiens. Ce sont les pays où je suis allé. Cette lettre est arrivée la semaine dernière, chez moi, en Irlande.

Liam la prit et étudia la multitude d'adresses en passant son doigt sur les mots. Il était trop jeune pour savoir lire, songea Flynn.

Au même instant, l'enfant s'adressa à lui.

— Tu habites un château ?

Flynn haussa les sourcils de surprise. Liam désignait la seule adresse qui n'avait pas été rayée. D'un air concentré, il se mit à ânonner :

— Châ-teau de Dun-mo-rey. C'est chez toi ?

— Oui. Le château de Dunmorey.

Flynn entendit Sara retenir une exclamation. Quant à Liam, ses sourcils disparaissaient sous la frange qui lui barrait le front.

— Tu habites dans un château ? Un vrai, avec des douves ? demanda-t-il, interloqué.

— Oui, je vis là-bas. Et c'est un vrai château, au moins de nom, car c'est surtout une vieille bâtisse de cinq cents ans, immense, pleine de courants d'air et qui sent le moisi. Il y a une tour et des remparts assez hauts, mais pas de douves. Les paysans pouvaient s'y réfugier en cas d'invasion. C'était là que vivait le seigneur.

Liam écoutait attentivement.

— Est-ce que je pourrai le voir ?

— Bien sûr.

— Il veut dire en photo, intervint Sara. Pourrait-il voir une photo de… ton château ?

Elle prononça ce dernier mot comme si elle le blâmait de vivre dans un tel endroit. Bon sang ! Ce maudit trou à rats ne finirait donc jamais de lui causer des ennuis, se dit-il.

— Je n'en ai pas sur moi, répondit-il à Liam, mais j'essaierai d'en obtenir. Et mieux encore, je pourrai t'y emmener. Tu le verras en vrai.

Liam en resta ébahi.

— Je le verrai vraiment ?

— Non ! s'interposa Sara.

Liam tourna la tête vers sa mère.

— Pourquoi tu ne veux pas ?

— C'est en Irlande, mon chéri, expliqua-t-elle en jetant un coup d'œil furibond à Flynn. De l'autre côté de l'océan, à des milliers de kilomètres !

— Ben, j'irai en avion, fit valoir Liam, tout en regardant Flynn pour obtenir son approbation.

— Oui, convint Flynn. C'est même la meilleure façon. Nous en reparlerons.

Il avait adressé ces derniers mots à Sara, en souriant. La bouche de la jeune femme formait un pli sévère.

— Je ne crois pas. Liam, ton père peut te parler de son château. Mais ne songe pas à te rendre là-bas.

— Pourquoi ? Je n'ai jamais vu de château en vrai, protesta le petit garçon.

— Tu n'as que cinq ans. Tu as tout le temps, dit Sara. Entre-temps, tu peux les construire en Lego.

La petite figure de Liam s'illumina. Il pivota vers Flynn.

— J'en ai fait un. On dirait un vrai. Sauf qu'il n'a pas de douves non plus. Tu veux le voir ?

Il était tout feu tout flammes soudain, sautant d'un pied sur l'autre. L'expression de son visage rappela à Flynn non pas tant Will que Sara, quelques années plus tôt, quand il l'avait rencontrée. Elle avait eu au fond d'elle-même cette même étincelle, ce même enthousiasme ardent.

En ce moment, elle avait plutôt les traits crispés, le regard dur.

De par son métier, il savait parfaitement décrypter la gestuelle de ses interlocuteurs. Il n'avait aucun problème pour lire en Sara. Elle n'était pas ravie de le voir et il le comprenait parfaitement. Il n'avait pas été là quand elle avait eu besoin de lui.

Il soupira. Ils finiraient par débrouiller la situation. Mais pas maintenant, devant leur fils.

Il se tourna vers Liam.

— Je veux bien voir ça.

— Viens ! lança le petit garçon en s'élançant hors du salon.

Au lieu de le suivre, Flynn adressa à Sara un sourire bref qui se voulait apaisant.

— Oh ! Va avec lui, dit-elle en haussant les épaules. Mais ne va pas lui mettre en tête qu'il ira en Irlande !

— C'est possible pourtant, Sara. Je ne dis pas tout de suite, nous devons en discuter…

— Non ! Bon sang ! Flynn, tu tombes des nues et tu voudrais bouleverser nos vies ? Il s'est passé six ans !

— Je ne savais pas…

— Dis plutôt que tu ne voulais pas savoir ! Sinon, tu serais revenu.

— Je pensais…

— Peu importe ! Tu savais où me trouver. Je ne suis pas partie d'ici. Si j'avais compté un tant soit peu pour toi, tu serais revenu. Or, tu ne l'as pas fait !

— Tu te préparais à entrer en faculté de médecine.

Elle planta son regard dans le sien.

— Ai-je l'air d'avoir fait médecine ?

Flynn la dévisagea, stupéfait.

— Que veux-tu dire ?

— Je suis tombée enceinte, Flynn. J'ai eu un bébé. Je n'ai pas pu entreprendre ces études. Que veux-tu ? Les circonstances changent. Les projets changent.

Il n'arrivait pas à le croire. Elle avait été si motivée.

— C'est pour cette raison que tu es si en colère contre moi ?

— Parce que je n'ai pas pu aller en fac ? Oh ! Je me moque bien de ça. J'ai obtenu un diplôme d'expert-comptable et je suis à mon compte. J'aime mon travail. Le défi des chiffres, les solutions à apporter… En parlant de ça, c'est quoi cette histoire de château ? Tu vis dans un château, maintenant ?

Au fur et à mesure qu'elle parlait, il s'efforçait d'imaginer Sara en expert-comptable et non pas en médecin, comme il l'avait toujours envisagé. Si de la savoir mère lui faisait une impression extraordinaire, il était plus sidéré encore d'apprendre qu'elle avait changé ses projets. Elle avait été si déterminée autrefois, clamant que rien ne l'arrêterait…

— Alors, ce château ? le pressa-t-elle.

— J'en ai hérité, répondit-il, laconique.

— Tu m'avais dit qu'il n'y avait rien pour toi en Irlande.

— C'est juste. Je n'étais pas destiné à hériter et je ne le voulais pas. Mais mon frère est mort.

Il sentait la colère l'envahir rien que d'y penser. Parfois, il lui arrivait de maudire Will de l'avoir mis dans un tel pétrin.

— Will, n'est-ce pas ? dit-elle doucement.

Flynn acquiesça avec une douloureuse gravité.

Leurs regards se croisèrent et il lut dans celui de Sara un mélange de chagrin et de compassion. La complicité qui les avait unis autrefois sembla renaître fugitivement et Flynn constata avec étonnement qu'il en était heureux.

Sara dut s'en apercevoir, car la lueur tendre disparut instantanément de ses prunelles sombres.

— Tu ferais mieux d'aller voir le château en Lego, dit-elle froidement. Passe par là, puis monte l'escalier.

Il suivit Liam, heureusement.

Sara ignorait combien de temps encore elle aurait pu rester là à parler raisonnablement. Son cœur cognait dans sa poitrine, ses mains tremblaient. Il fallait absolument qu'elle se ressaisisse, qu'elle cesse de se préoccuper de lui !

Pendant des années, elle s'était convaincue que Flynn Murray ne l'intéressait pas, que ces trois jours avec lui n'avaient rien été d'autre qu'une réaction physique, une alchimie hormonale, et une aberration qui ne se répéterait pas.

Et il avait suffi qu'il apparaisse sur le pas de sa porte pour qu'elle se sentît fondre de nouveau. C'était le choc, rien d'autre, parce qu'il était la dernière personne qu'elle s'était attendue à voir.

Elle soupira et pensa à Liam. Il avait toujours ressemblé à son père. Mais en les voyant ensemble, c'était encore plus flagrant.

Liam n'avait pas seulement hérité des traits de Flynn, il avait les mêmes gestes que lui. Tous deux étaient nerveux, bouillants et animés d'une détermination peu commune. Et tandis que Liam avait encore la maladresse de l'enfance, Flynn, en dépit de sa boiterie — Seigneur ! Elle n'arrivait pas à croire qu'il avait été blessé par balle ! —, était puissant, mesuré, et conservait en toutes circonstances la maîtrise de la situation. Elle était sûre que Liam serait son exacte réplique plus tard.

Flynn l'avait-il remarqué ? Que voyait-il exactement ? Et que faisait-il vraiment ici ? Il était là pour voir son fils, ça elle l'acceptait. Mais qu'attendait-il d'autre ? Avait-il en tête de lui enlever son enfant ? Ce n'était pas parce qu'il vivait à présent dans un château qu'il avait le droit de lui prendre Liam. Et était-ce seulement à son fils qu'il pensait ?

Le souvenir de leur baiser revint la tourmenter — ses lèvres sur les siennes, leur ardeur possessive… Se pouvait-il qu'il la désirât après tout ce temps ?

Sûrement pas. Sinon, comme elle le lui avait fait valoir, il serait revenu beaucoup plus tôt et, à ce moment-là, il aurait eu toutes les chances de la reconquérir.

De la part de Flynn, ce baiser n'était probablement qu'un jeu. Pour se prouver qu'il était encore capable de la troubler, de l'émoustiller. Et il s'y entendait ! Il avait presque balayé sa raison, la rendant pantelante de désir, comme autrefois. Heureusement, elle était parvenue — de justesse, certes, mais tout de même — à lui résister. Elle ne pouvait oublier qu'il l'avait détruite une fois. Elle ne le laisserait pas recommencer !

Dieu merci ! Elle sortait avec Adam ce soir. Tout à coup, elle eut hâte de le voir. Se concentrer sur Adam valait beaucoup mieux que de penser à Flynn.

Sara consulta sa montre. 15 h 45. Elle ne savait combien de temps Flynn comptait rester et elle refusait de les rejoindre dans la chambre de Liam pour le lui demander. Même depuis la cuisine, elle entendait le babillage excité de Liam et les réponses graves, teintées d'accent irlandais, de Flynn. Il avait une voix envoûtante qui, même encore maintenant, avait le pouvoir de lui déclencher de petits frissons sur la nuque.

— Adam, dit-elle tout haut. Pense à Adam.

Elle devait se préparer pour sortir avec lui. Résolument, elle monta l'escalier. Depuis le palier, elle voyait l'intérieur de la chambre de Liam. Son fils passa en trombe devant la porte et elle aperçut les longues jambes de Flynn qui était assis sur le lit.

Ne voulant pas invoquer ce que cette vision lui suggérait, Sara se rendit dans sa chambre, prit des vêtements, puis se dirigea vers la salle de bains, en lançant au passage :

— Je vais prendre une douche.

Elle n'avait donné cette précision que pour leur faire savoir où elle était. Elle espérait de toutes ses forces que Flynn ne le prendrait pas comme une invite ! A cette pensée, elle ne put s'empêcher de rougir.

— Arrête ! s'intima-t-elle en avisant son reflet dans le miroir.

Facile à dire ! Elle se doucha rapidement et enfila un pantalon en velours noir avec le pull rouge en cachemire que sa sœur Lizzy lui avait offert à Noël. Elle avait porté un pull rouge le soir où elle était allée rejoindre Flynn dans sa chambre de motel. A ce souvenir, elle faillit ôter le vêtement et aller en choisir un autre. Mais cela revenait à donner à Flynn plus d'importance qu'il n'en méritait.

Elle se brossa les cheveux, puis appliqua son rouge à lèvres. Satisfaite du résultat, elle sortit de la salle de bains.

La maison était étrangement silencieuse tout à coup. La lumière était éteinte dans la chambre de Liam. Flynn était-il parti ?

Elle avait à peine formulé cette question qu'une autre s'imposa à elle : où était Liam ?

Sara dévala l'escalier. Personne dans la cuisine !

— Liam ?

Elle n'obtint pas de réponse. Etait-il encore en train de jouer à cache-cache sans l'en l'avertir ? Elle croyait l'avoir dissuadé de se livrer à ce genre de jeux stupides. Il avait cinq ans passés maintenant et s'adonnait plutôt à d'autres bêtises, comme de regarder des dessins animés en cachette.

— Tu ferais mieux de ne pas regarder la télé, fiston, lança-t-elle en passant la tête par la porte du salon.

Mais elle ne vit que le chat, couché sur le sofa. Sid redressa la tête et lui jeta un regard torve, avant de se rendormir.

Sara ne cédait généralement pas à la panique. Mais à présent, elle sentait son cœur s'emballer. D'un pas rapide, elle retourna dans la cuisine.

— Liam ! cria-t-elle.

Où était-il ? Il était supposé n'aller nulle part sans la prévenir. Avait-il quand même désobéi ?

A cet instant, elle nota que son blouson avait disparu. Ses bottes aussi. Et Flynn n'était pas dans la maison.

Il n'aurait pas… ? Non !

Je t'emmènerai en Irlande, avait-il déclaré. Et elle avait refusé d'en discuter ! S'était-il enfui avec son enfant ?

Sara courut jusqu'à la porte de derrière et l'ouvrit à toute volée.

— Liam ! *Liam !*

Elle était désespérée maintenant. Hystérique, elle courut sous le porche couvert de neige.

— Qu'est-ce qu'il y a ?

La petite voix teintée de surprise paraissait toute proche et médusée.

Oh, mon Dieu ! Un soulagement immense envahit Sara qui dut s'agripper au pilier pour ne pas vaciller. Une seconde plus tard, Liam passait la tête à l'angle de la maison.

— Pourquoi tu hurles comme ça ? Je suis là.

— Oui… Dieu soit loué ! dit-elle, encore haletante. Où est Flynn… Ton père ?

— Ici, fit Liam en faisant un signe de tête par-dessus son épaule. Dans la cour. Nous construisons un château comme Dunmorey.

Et levant le pouce en signe de victoire, il adressa à sa mère un sourire éclatant.

Sara tentait toujours d'endiguer sa panique, quand Flynn apparut derrière Liam, ses cheveux noirs saupoudrés de neige. Son regard au vert intense se posa sur elle. Il était si beau qu'elle se troubla et ne put empêcher, un bref instant, le souvenir de leur toute première rencontre de remonter à son esprit.

— Quelque chose ne va pas ? s'enquit-il, inquiet.

— Non, c'est juste que… Je ne m'étais pas rendu compte que vous étiez sortis. Je pensais…

Mais il était impensable de lui avouer l'idée qui l'avait effleurée ni la terreur qu'elle avait éprouvée.

Elle secoua la tête.

— Peu importe. Continuez à jouer.

Sur ce, elle tourna les talons et se hâta de rentrer, ébranlée, soulagée et bouleversée à la fois. De retour dans la cuisine, elle se laissa tomber sur une chaise et se mit à ôter la neige de ses semelles.

La porte du fond s'ouvrit, livrant passage à Flynn.

— Tu pensais que je l'avais enlevé.

Sa voix était sèche, accusatrice.

Sara frémit. Tâchant de dominer son tremblement, elle répondit :

— Je ne savais pas où vous étiez. Liam… ?

— Il construit la tourelle. Je lui ai dit que j'irais la voir quand il aura terminé. Et c'est ce que je vais faire. Mais pas avant que nous ayons tiré ça au clair, assena-t-il, le visage fermé.

Sara se raidit, effrayée par le ton de sa voix.

— Qu'y a-t-il à tirer au clair ?

Sa voix s'était raffermie. Si seulement ses nerfs étaient plus solides ! déplora-t-elle.

— Ce que de toute évidence tu as pensé, répliqua-t-il. Je ne suis pas venu pour enlever mon fils !

Sara se hérissa à l'emploi du possessif. Mais il ne cherchait sans doute qu'à se défendre et elle ne pouvait le lui reprocher.

— Très bien. J'avoue que cette idée m'est venue. Quand je suis sortie de la salle de bains, vous n'étiez plus là. Et comme tu avais dit que tu l'emmènerais en Irlande… Qu'étais-je supposée penser ?

— Bon sang ! Me prends-tu pour un monstre ?

Ses yeux d'un vert bronze à présent évoquaient une mer en furie.

Il n'attendit pas sa réponse. Sara doutait d'ailleurs qu'elle fût capable de lui en fournir une. Comment aurait-elle su quel genre d'homme il était ? Six ans plus tôt, elle avait cru le connaître et s'était lourdement trompée.

— Nous avons parlé de Dunmorey, reprit-il plus patiemment. Comme il neigeait, nous avons décidé que ça serait amusant de faire un château dehors. Nous étions dans la cour, c'est tout.

Sara acquiesça d'un air hébété.

— Tu ne m'avais rien dit…, balbutia-t-elle.

— Je n'imaginais pas que tu voulais que j'entre dans la salle de bains pour te l'annoncer, dit-il en ébauchant un sourire oblique.

Comme son regard glissait sur elle, Sara regretta de ne pas avoir revêtu une armure au lieu d'un pull et d'un pantalon ! Instinctivement, elle s'enveloppa de ses bras.

— Bien sûr que non !

Flynn laissa s'écouler un silence pensif, puis gravement il secoua la tête.

— Je suis désolé que tu aies été bouleversée. Je n'ai pas cru bon de te prévenir. Je pensais que tu le devinerais.

— Non. Comment aurais-je su ce que tu allais faire ? Je ne te connais même pas.

— Tu me connaissais autrefois, Sara, déclara-t-il doucement. Mieux que quiconque.

Les inflexions rauques de sa voix jouaient sur les nerfs de la jeune femme, lui décochant de minuscules frissons qui se propageaient le long de son dos.

— Alors, pourquoi… ?

Les mots emplis d'angoisse jaillirent de ses lèvres avant qu'elle ait eu le temps de réfléchir. Heureusement, elle s'arrêta avant de ressembler à une idiote pathétique. Dieu merci, le téléphone choisit ce moment pour sonner.

Elle se détourna et s'empara de l'appareil posé sur le plan de travail.

— Allô ?

— Oh ! Tu es déjà au courant.

Tante Célie. Celle-ci semblait inquiète et adoptait un ton d'excuse.

— Au courant de quoi ? répéta Sara, interloquée.

Tante Célie n'allait pas lui parler de Flynn tout de même ? Mais le téléphone arabe fonctionnait si bien à Elmer que c'était tout à fait possible.

— Au sujet d'Annie…

C'était la petite dernière de tante Célie. Elle avait quatre ans.

— Au son de ta voix, reprit celle-ci, j'ai cru que tu savais déjà. Tu as l'air bouleversée. Bon, j'appelais pour te prévenir : je ne peux pas garder ton fils ce soir. Annie a de la fièvre. La maîtresse me l'a renvoyée. Liam ne peut pas rester ici. Je suis tellement désolée…

— Je vais m'arranger autrement, répondit Sara.

— Jace peut peut-être descendre chez toi dès qu'il reviendra. Seulement, il va rentrer tard et…

— Non, vraiment, ça ira. Ne t'inquiète pas, je… Il faut que j'y aille. J'espère qu'Annie sera vite rétablie.

Sara raccrocha. Mais oui, ça irait. Elle ne sortirait pas, voilà tout.

— Un problème ? demanda Flynn.

Elle haussa les épaules.

— Tante Célie devait garder Liam ce soir. Mais sa fille est malade et…

— Où vas-tu ?

Il y avait quelque chose de si possessif dans le ton de Flynn qu'elle se raidit.

— J'ai un rendez-vous.

Il fronça les sourcils.

— Avec qui ?

— Tu ne le connais pas, évidemment. Il s'appelle Adam. Il est contremaître dans un ranch voisin. C'est aussi un sculpteur, ajouta-t-elle par coquetterie.

Elle vit la mâchoire de Flynn se crisper.

— C'est sérieux ?

— Sa sculpture ?

— Non, voyons. Toi et ce type… Adam.

Sara resta sidérée.

— Qu'est-ce que ça peut te faire ?

— Je veux savoir où vous en êtes.

Eh bien ! Il n'était pas le seul ! songea Sara.

— Nous sortons ensemble. C'est la Saint-Valentin.

Après tout, pourquoi ne pas lui laisser croire que c'était plus sérieux entre elle et Adam que cela ne l'était en réalité ? Tout à coup, il lui apparut plus sage de sortir ce soir que de rester à la maison.

— Si tu veux bien m'excuser, dit-elle en attrapant la liste des numéros de téléphone usuels. J'ai besoin de trouver une baby-sitter.

Elle composait déjà un numéro quand Flynn lui prit l'appareil des mains.

— C'est moi qui garderai Liam.

— Ne sois pas ridicule.

— Qu'y a-t-il de ridicule là-dedans ? C'est mon fils.

— Il n'en est pas question. D'abord, il ne te connaît pas.

— Il a envie de me connaître. Il m'a dit qu'il avait parlé de moi au Père Noël, dit Flynn en souriant. Laisse-moi passer du temps avec lui. Quel meilleur moyen pour nous de faire connaissance ?

C'était aussi le meilleur moyen de courir à sa propre perte, pensa Sara.

— C'est trop tôt, s'obstina-t-elle.

Il se rembrunit.

— Et quand ne sera-t-il pas trop tôt selon toi ? Demain, la semaine prochaine, dans un an ?

— Tu n'es ici que depuis deux heures, voilà pourquoi !

— Encore une fois, je serais venu plus tôt, si j'avais su ! Maintenant, si tu t'inquiètes, demande à Liam ce qu'il en pense. S'il ne veut pas de moi comme baby-sitter, je m'inclinerai, la défia-t-il en lui jetant un regard acéré.

Comme s'il n'avait attendu que ce moment pour intervenir, Liam appela du dehors :

— Papa ! Viens ! Qu'est-ce que tu fabriques ?

Sara grimaça. Il y avait tant de fougue dans cette petite voix qu'elle revoyait Liam faire sa demande au Père Noël. Elle en était à ce point de ses réflexions quand Flynn crut bon d'ajouter :

— Est-ce que les baisers d'Adam t'excitent, Sara ?

Les joues en feu, elle baissa les yeux.

— Oh ! Tu peux garder Liam ce soir, si tu y tiens, dit-elle très vite. Je te souhaite bien du plaisir !

4.

Du plaisir, Flynn aurait voulu en avoir. Mais garder son fils pendant que la mère de celui-ci sortait avec un autre homme n'était pas exactement la façon dont il avait prévu de passer la soirée.

Il avait envisagé de faire la cour à Sara, comme il l'avait fait autrefois. Puis, quand il aurait apaisé ses doutes, il les aurait emmenés dîner, elle et Liam.

Il n'avait pas pensé qu'elle aurait érigé de telles défenses ni combien d'efforts il lui faudrait déployer pour qu'elle se souvienne de la magie qui les avait unis dans le passé.

Il s'en souvenait, lui, et même de mieux en mieux. Certes, il n'avait pas osé penser à elle pendant toutes ces années. A quoi cela aurait-il servi ? Leur rencontre avait été une pure coïncidence et devait rester sans lendemain, puisque Sara avait été fermement résolue à entrer à l'école de médecine pour ensuite s'engager dans l'humanitaire. Quant à lui, décidé à oublier l'Irlande et Dunmorey, il avait voulu parcourir le monde.

Maintenant, il avait fort à faire pour la convaincre qu'il voulait faire de son mieux pour elle et pour Liam. Et ce n'était pas en saisissant cet Adam par le col qu'il y parviendrait. Sara n'avait jamais été spécialement impressionnée par l'approche brutale, pour autant qu'il s'en souvînt.

Il attendrait donc son heure, quitte à la laisser sortir avec un autre. Ce qu'il lui permettait d'autant plus que les baisers de cet autre n'enflammaient pas ses sens. Car cet Adam ne savait pas l'embrasser, c'était clair. Dans le cas contraire, la question qu'il lui avait posée ne l'aurait pas rendue aussi furieuse.

Pourtant, il n'allait pas rester les bras ballants et abandonner le terrain à ce typc. Pas question.

Aussi, lorsqu'il entendit qu'on frappait à la porte du fond, il délaissa les albums de photos qu'il feuilletait avec Liam et se leva.

Quelques instants plus tard, Sara entra seule dans le salon. Elle avait apparemment laissé M. Rendez-Vous sous le porche de la véranda.

— Il ne vient même pas t'attendre devant la maison ? demanda Flynn, tandis qu'elle prenait son manteau dans le placard.

— C'est inutile. Il a l'habitude de passer par la porte de derrière.

Flynn serra les dents. L'habitude ? Bon sang ! Ce type venait souvent ici ?

— Attends. Laisse-moi t'aider, offrit-il.

— Ça ira, répondit-elle avec impatience.

Sans tenir compte de ses protestations, il lui prit le vêtement des mains, le secoua légèrement et le tint pour elle.

Sara le foudroya du regard par-dessus son épaule, mais finit par passer ses bras dans les manches. Il arrangea le manteau sur ses épaules fines, s'approcha jusqu'à capter une bouffée de son parfum, un séduisant mélange d'épices qui évoquaient l'été et qu'il n'avait senti sur personne d'autre qu'elle. Il se pencha pour effleurer ses cheveux et appliqua ses lèvres sur sa nuque. Sara tressaillit violemment et lui jeta un regard courroucé.

Il lui dédia un sourire innocent.

— Qu'y a-t-il ?

Les joues de Sara étaient presque aussi rouges que son pull.

— Rien ! marmonna-t-elle en s'écartant. J'ai laissé mon numéro de portable sur la table de la cuisine. Et tu peux appeler tante Célie si tu as besoin de quelque chose immédiatement.

Comme de me faire assassiner, peut-être ? pensa Flynn. Car si Sara n'était pas contente de le voir, il ne se faisait pas d'illusions sur les sentiments de la famille McMaster à son égard.

— Merci. J'aimerais rencontrer ton chevalier servant, dit-il juste avant qu'elle ne quitte la pièce.

— Pourquoi ? fit-elle, surprise.

— Parce que je suis curieux de nature, dit Flynn d'un ton léger.

— Eh bien…, hésita-t-elle.

— Tu as honte de lui ?

Elle soupira, exaspérée.

— Très bien. Viens faire sa connaissance. Liam, pas de télé, ce soir. Il y a école demain. Prends ton bain à 8 heures. J'ai posé un pyjama propre sur ton lit et je veux que tu sois au lit à 8 h 30.

— D'accord, m'man, marmonna Liam, avant d'ajouter, calculateur : et si papa dit que je peux rester debout plus tard ?

— Pas question, dit Sara. J'ai dit 8 h 30 !

Elle embrassa le petit garçon, puis regarda Flynn avec autorité.

— Je parle sérieusement. Je ne suis pas obligée de sortir, tu sais. Si tu penses une seule seconde que tu vas…

Flynn leva les mains en signe d'apaisement.

— Du calme, Sara. Nous nous en sortirons très bien. N'est-ce pas, bonhomme ?

Liam approuva vigoureusement.

On frappa de nouveau.

— Voilà ! Je suis prête, lança Sara en se hâtant vers la cuisine.

Devinant qu'elle allait disparaître dans la nuit sans se retourner s'il n'intervenait pas, Flynn la rattrapa.

Sara n'eut d'autre choix que d'ouvrir la porte toute grande. Elle posa unc main sur la manche d'un homme brun, séduisant, qui se tenait dans l'embrasure.

— Adam, dit-elle d'une voix câline qui mit les nerfs de Flynn à rude épreuve. Tu ne devineras jamais qui est venu aujourd'hui. Je te présente le père de Liam.

Elle se tourna vers Flynn.

— Voici Adam Benally.

Donc, cet Adam avait un nom, mais lui n'était que le père de Liam ! se dit Flynn, irrité. Eh bien, il n'avait pas dit son dernier mot !

Faisant de son mieux pour dissimuler sa maudite boiterie, il s'approcha et tendit la main au soupirant qui eut l'air étonné.

— Bonsoir, entrez, l'invita-t-il. Je suis Flynn Murray.

Adam interrogea Sara du regard, avant de reporter son attention sur Flynn. Sa poignée de main fut brève.

— Il est temps, murmura-t-il.

Flynn se raidit. Si ce type pensait qu'il allait battre en retraite, il en serait pour ses frais, pensa-t-il.

— En effet, répondit-il. Mais je suis là, maintenant.

— Figure-toi qu'il vient juste de recevoir la lettre que je lui ai écrite il y a cinq ans pour lui apprendre la naissance de Liam, dit très vite Sara pour clarifier la situation.

— Pas possible, fit Adam, sceptique. Bon, nous avons une réservation pour 7 heures. Nous devons nous mettre en route.

Ce disant, il attendait manifestement que Flynn quitte la maison le premier.

— Justement, à ce propos, Flynn s'est offert de rester avec Liam, expliqua Sara.

— Lui ?

— Ça vous pose un problème ? le défia Flynn. Liam est mon fils.

Au lieu de lui répondre, Adam s'adressa à Sara.

— Tu es sûre que tu veux… ?

— Elle est tout à fait sûre, coupa Flynn, glacial.

Sentant les choses s'envenimer, Sara manœuvra les deux hommes vers le perron.

— Tu as mon numéro, dit-elle à Flynn. Mais je suis sûre que tu n'en auras pas besoin.

C'était moins un commentaire poli qu'un ordre. Flynn ne releva pas. Une lueur belliqueuse au fond des yeux, il les regarda descendre l'allée en direction du rutilant 4x4 d'Adam Benally.

— Sara ? appela-t-il.

La jeune femme se retourna.

— Je resterai à t'attendre, dit Flynn en souriant.

C'était la Saint-Valentin, la fête des amoureux, le jour romantique par excellence. Et Sara passait cette soirée en compagnie d'Adam… en pensant à Flynn. Cela la rendait folle ! Il la rendait folle. *Il*, c'est-à-dire Flynn et non Adam.

Celui-ci était un homme charmant, ouvert et séduisant. Ce soir, il s'appliquait à être un compagnon particulièrement agréable et à la distraire par sa conversation. Un homme parfait pour flirter.

Sauf que c'était le sourire de Flynn que Sara gardait devant les yeux. Flynn, dont les paroles résonnaient dans son esprit. *Je resterai à t'attendre,* avait-il dit. Et avec quel charme sensuel dans la voix !

Bien sûr qu'il l'attendrait, raisonna-t-elle, puisqu'il gardait leur fils. Ou faisait-il allusion à… quelque chose d'autre ? A ce qui pourrait se passer quand elle rentrerait, par exemple ?

Ses pensées revinrent automatiquement au baiser qu'ils avaient échangé. Chassant ce souvenir importun, elle essaya de se concentrer sur Adam. Ce qu'elle réussit pendant… trente secondes, avant qu'une pensée de Flynn ne l'assaillît de nouveau… Le baiser… Flynn… Encore et encore.

Ce n'était pas une soirée des plus réussie. Et quand Adam réprima un bâillement en annonçant qu'il devait se lever tôt le lendemain, Sara déclara qu'elle était prête à partir.

Il ne neigeait plus. La nuit était claire et le froid mordant. Ils marchèrent côte à côte vers le 4x4, si proches l'un de l'autre que leurs épaules s'effleuraient parfois. Si elle s'était trouvée près de Flynn, nul doute que ce contact l'aurait électrisée, pensa Sara.

Adam lui ouvrit la portière et elle monta. Ils roulèrent vers Elmer en silence. Sara avait conscience d'avoir été d'une piètre compagnie.

— Je suis désolée, commença-t-elle quand il s'arrêta derrière sa maison.

Il haussa les épaules.

— Au moins, nous savons. C'est déjà ça.

Elle se sentit affreusement coupable au point qu'elle faillit lui proposer de régler sa part du dîner.

La lumière du porche était allumée. Flynn la guettait-il derrière les rideaux de la cuisine ? Non, ce n'était pas son style, décida-t-elle. Il était plutôt du genre à sortir sous le porche, si elle ne rentrait pas immédiatement.

Elle descendit donc de la voiture sans attendre qu'Adam vienne lui ouvrir la portière. Il eut l'air surpris.

— Nous savons que ça ne marchera pas, n'est-ce pas ? dit Sara en guise d'excuse.

— Toi et lui… ?

— Nous sommes les parents de Liam. C'est tout, déclara-t-elle avec fermeté.

— Ce n'est pas ce qu'il pense, apparemment, risqua Adam.

— Il le faudra pourtant. Merci pour cette soirée, dit-elle plus doucement.

— Tu veux que j'entre ?

Pour que Flynn et lui rejouent « Règlement de comptes à OK Corral » dans sa cuisine ? Ah, non ! Merci bien !

— Ne t'inquiète pas. Ça ira.

Comme Adam ne semblait pas rassuré par cette réponse, Sara se haussa sur la pointe des pieds et lui déposa un baiser furtif sur la joue. Juste pour le remercier.

— Prends bien soin de toi, dit-il.

Oui, elle allait essayer.

Elle s'attendait à trouver Flynn dans la cuisine. Affalé sur une chaise, il consulterait sa montre en ricanant de la voir rentrer si tôt.

Mais elle n'y trouva que le chat. Celui-ci se mit à miauler, en lorgnant du côté de sa gamelle.

— Toi, tu as le ventre plein, dit-elle en le caressant entre les oreilles. Où sont-ils ?

En fait, elle savait que Liam était au lit. Quant à Flynn… S'était-il endormi sur le canapé ?

Elle poussa la porte du salon avec l'intention d'aller suspendre son manteau. Ce qui lui donnait un prétexte pour vérifier si Flynn s'y trouvait.

La pièce était vide. Son manteau rangé, Sara monta doucement l'escalier. A l'étage, tout était sombre et silencieux. Sans bruit, elle entra dans la chambre de Liam.

Son fils dormait, un bras hors du lit, la couette pendant à demi sur le sol. Avec précaution, elle le recouvrit et l'embrassa sur les cheveux.

Sara ressortit dans le couloir, la mine soucieuse. Où était

Flynn ? Il n'était certainement pas parti. Il avait beau être du genre « ici un jour, envolé le lendemain », il n'était pas irresponsable à ce point.

— Flynn ? appela-t-elle doucement.

Elle perçut un bruit étouffé et se rapprocha de la cage d'escalier.

— Flynn ?

De nouveau, le bruit se fit entendre. Et soudain, elle comprit d'où il provenait. Oh, non ! Pas ça ! Comment avait-il osé ?

Sara longea le palier jusqu'à la dernière chambre — la sienne ! — et ouvrit la porte d'un geste brusque.

Allongé sur *son* lit, Flynn Murray dormait à poings fermés.

5.

Sara se figea sur le seuil, furieuse… et curieuse à la fois.

Elle avait envie de marcher droit sur lui, de le secouer et de le jeter dehors ! En même temps, elle savait que c'était la pire chose à faire.

Affronter un Flynn Murray échevelé et diaboliquement séduisant, qui se trouvait déjà dans son lit, c'était courir à la catastrophe. Tout ce qu'il y avait de raison en elle lui soufflait de s'éclipser immédiatement. Oui, mais quand s'était-elle montrée raisonnable en ce qui concernait Flynn Murray ?

D'une main, Sara s'agrippa au chambranle pour se forcer à rester là où elle était. Malgré tout, la vue de Flynn endormi l'attirait irrésistiblement.

Bah ! Ce n'était pas comme si elle attendait quelque chose de cet homme. Elle avait déjà consommé trop de rêves à son sujet et ne se faisait plus d'illusions. Que risquait-elle à le regarder ? Cela l'immuniserait peut-être contre ces pensées tentantes et folles qui menaçaient de saper sa résolution.

Forte de cette analyse, Sara s'avança dans la chambre et le couva des yeux.

Il était couché sur le ventre, un bras étendu, ses cheveux de jais contrastant avec la blancheur de l'oreiller. Ses joues étaient ombrées de barbe. Elle avait l'envie folle de tendre les doigts et de sentir de nouveau leur rudesse contre sa peau.

Elle dut serrer les poings pour s'en empêcher. Mais cela ne l'empêchait pas de le regarder. Elle gardait si peu de souvenirs de lui. Elle avait eu trois jours et une nuit mémorables à passer avec cet homme qu'elle aimait.

Qu'elle avait aimé, rectifia-t-elle vivement. C'était du passé. Un passé lointain et qui n'avait plus cours.

Elle essaya de penser à Adam, de se répéter son nom encore et encore. En vain. Adam avait beau être charmant, il n'était pas pour elle. Ce que, tôt ou tard, ils auraient découvert. La présence de Flynn n'avait fait que précipiter les choses.

Elle en voulait à Flynn d'être revenu, de bouleverser son univers, de rendre les autres hommes fades. Et, en ce moment même, elle lui en voulait aussi de la rendre imperméable au monde extérieur et de susciter le désir en elle.

Comme s'il percevait ses pensées, il s'agita soudain, son corps musclé prenant presque toute la largeur du lit. Sara admira ses puissantes épaules, ses bras énergiques. Comment un homme pouvait-il développer une telle musculature à écrire des articles ?

Il bougea de nouveau. La couette glissa, le découvrant davantage.

Mon Dieu ! Etait-il nu ?

Sara retint son souffle, les mains moites soudain. Elle recula d'un pas, sans battre en retraite pour autant. Et sans cesser de le regarder.

C'était jouer avec le feu, se dit-elle. D'une minute à l'autre, il allait se réveiller et la trouver là. Il se redresserait, l'attirerait dans ses bras et…

Elle lui résisterait ! s'exhorta-t-elle. En même temps, elle tenta de se raisonner. Elle l'avait entendu raconter à Liam qu'il avait fait le voyage en avion depuis Dublin jusqu'à Seattle, puis avait pris un autre vol à destination de Bozeman. Enfin, il avait loué une voiture pour se rendre à Elmer. Pas étonnant qu'il eût besoin de dormir. Mais dans *son* lit !

S'attendait-il à ce qu'elle vienne le rejoindre ? Sans doute, puisqu'ils avaient déjà partagé un lit. De plus, il avait dû se rendre compte qu'elle n'avait pas été indifférente à son baiser.

Raison de plus pour ne pas se coucher auprès de lui !

Consciente qu'elle ne pouvait lui demander de se rendre au motel de Livingston après qu'il lui eut rendu service en gardant Liam, Sara contourna le lit et alla décrocher sa chemise de nuit suspendue dans le placard, en ayant soin de ne pas faire grincer les lattes du plancher. Malheureusement, la porte du placard fit un léger bruit en s'ouvrant.

Flynn marmonna quelque chose d'inintelligible et roula sur le côté. Sara se figea, le souffle suspendu. Puis, l'alerte passée, elle sortit de la chambre sur la pointe des pieds.

Réfugiée dans la salle de bains, elle se dévêtit et enfila sa chemise de nuit. Elle frissonna de froid et se dit qu'elle aurait aimé se faire couler un bain chaud. Mais le bruit des tuyauteries était légendaire et ne manquerait pas d'éveiller Flynn. Elle n'avait pas envie de le voir apparaître en sous-vêtements — à supposer qu'il en portât !

Cette vision rappellerait trop à Sara la nuit où elle s'était rendue dans sa chambre du motel. Elle l'avait trouvé vêtu d'un T-shirt et d'un caleçon, car il n'attendait pas de visite. Il avait paru sidéré de la voir et lui avait dit que ce n'était pas une bonne idée.

Et sotte qu'elle était, elle ne l'avait pas cru.

A présent, c'était différent. Rapidement, elle fit un brin de toilette et retourna dans la chambre de Liam où se trouvait, rangée dans une commode, la literie supplémentaire. Elle sortit une vieille couette en patchwork, puis avec précaution descendit l'escalier.

Sid vint à sa rencontre au pied des marches avec un miaulement de curiosité.

— Chut ! lui intima-t-elle.

Prenant le chat sous son bras libre, elle traversa la cuisine glaciale avant d'atteindre le salon.

Là, elle déposa Sid, puis s'installa sur le sofa et s'enroula dans le vieux couvre-lit.

On faisait mieux en matière de confort. En repliant ses genoux sur le canapé trop court, Sara se maudit d'avoir décliné l'offre de sa mère et de son beau-père de lui acheter un canapé-lit pour Noël.

— Comme ça, tu pourrais nous recevoir, avait suggéré Polly.

— C'est justement pour cela que je préfère garder mon vieux divan ! avait plaisanté Sara.

Toutes deux savaient qu'il y avait chez Célie plus de place qu'il n'en fallait pour héberger tous les McMaster et Gallagher réunis.

Quelle erreur d'avoir refusé ! Son vieux sofa avait des bosses et…

— Bon sang ! Qu'est-ce que tu fiches ici ?

Sara se redressa en sursaut. La silhouette de Flynn se découpait dans l'encadrement de la porte. Vivement, elle ramena la couette sur sa poitrine.

— A ton avis ? Je me prépare à dormir.

— Ici ?

— Et où veux-tu que j'aille ? Tu étais dans mon lit !

— Tu l'as remarqué, n'est-ce pas ? dit-il avec une note amusée.

L'éclat de son sourire jaillit dans la pénombre. Sara, pour sa part, n'avait aucune envie de rire. Elle se sentait trop vulnérable.

— Oui, et quand j'ai compris que tu souffrais du décalage horaire, je t'ai laissé dormir, se défendit-elle.

— C'est gentil, mais parfaitement inutile. Viens te coucher, Sara.

Il avait quitté l'embrasure de la porte et s'avançait vers elle.

— Je… Je suis très bien ici, répliqua-t-elle.

— Sur cette banquette minuscule ? Quelqu'un de plus grand que Liam ne peut pas y être à l'aise. Et si je ne l'ai pas essayée, c'est aussi… parce que je voulais dormir dans ton lit.

— Pourquoi ? demanda Sara, alarmée.

— Pour empêcher ton cow-boy d'y arriver avant moi.

— Tu es complètement fou ! Tu pensais que je coucherais avec Adam… avec Liam dans la maison ?

— Tu aurais pu passer la nuit chez lui.

— Ça ne te regarde absolument pas !

Flynn secoua la tête, pensif.

— Tu ne l'aurais pas fait. Et tu n'as jamais couché avec lui.

— Qu'est-ce que tu en sais ? demanda-t-elle, indignée.

Il lui sourit de nouveau.

— Parce qu'au fond tu es toujours la même, Sara. Regarde-toi. Tu essaies de dormir sur un canapé à peine plus grand qu'une causeuse, enroulée dans une couette qui te sert d'armure. Si tu avais l'habitude du sexe, tu n'aurais pas hésité à te coucher auprès de moi.

— Ce n'est pas parce que je l'ai fait une fois…, commença-t-elle, outrée au dernier degré.

— Tu m'aimais à cette époque.

— Oui, convint-elle, sentant qu'il n'y avait aucune raison de le nier. Ce que j'étais bête ! Je n'étais encore qu'une gamine…

— Non. Tu étais une femme. Et fascinante qui plus est.

Même si ces mots comblaient de satisfaction une part d'elle-même — celle qui avait cru qu'il l'avait quittée parce qu'elle l'avait déçu — Sara se raidit, comme avertie d'un danger. Fascinante ou non, elle ne devait pas se laisser séduire par cet homme. Une fois, c'était bien tout ce qu'une femme saine d'esprit pouvait supporter.

— Va-t'en, Flynn. Retourne te coucher. Rattrape ton sommeil. Ou va jusqu'à Livingston si tu es assez réveillé pour conduire.

— Je reste, alors, puisque tu m'y invites, dit-il d'un ton léger.

— Quoi ? Je ne t'ai pas…

— Tu as bien dit : retourne te coucher ? C'est ce que je vais faire. Viens avec moi, dit-il en lui tendant la main. Je te promets de ne pas te toucher.

— Tu ne pourrais pas faire autrement, lui opposa-t-elle. Le lit n'est pas si grand que ça.

— D'accord, mais je ne te ferai pas l'amour si c'est ce que tu veux, dit-il d'un ton moqueur.

Non, ce n'était pas ce qu'elle voulait. L'amour éternel de Flynn, voilà ce qu'elle désirait… tout en ayant conscience que c'était impossible.

— Laisse-moi, répéta-t-elle en forçant le nœud qui lui bloquait la gorge.

Il continuait à la dominer sans bouger. Elle éprouva soudain un sentiment de pure panique à l'idée qu'il allait la soulever et l'emporter dans ses bras jusqu'à l'étage. Puis elle se dit qu'il n'en était pas physiquement capable, à cause de sa jambe.

— Bon sang ! Sara, marmonna-t-il comme si cette pensée l'avait traversé aussi.

Ce fut le moment que choisit le chat pour sauter sur le canapé, faisant sursauter la jeune femme. Sid grimpa sur ses genoux, déterminé à s'y installer.

Au bout d'un moment, Flynn se détourna. Sara laissait déjà échapper un soupir de soulagement… quand elle s'aperçut qu'il se jetait sur le sofa auprès d'elle !

— Très bien, annonça-t-il d'un ton jovial. Nous resterons donc ici.

— Flynn, ne fais pas l'idiot ! s'exclama-t-elle en se calant le plus possible contre l'accoudoir.

Il lui coula un sourire, puis étendit ses longues jambes et posa ses bras sur le dossier. Tel un animal marquant son territoire, un léopard aux yeux verts prenant possession des lieux. *Chez elle !*

Pour autant, il n'essaya pas de la toucher, conformément à ce qu'il avait dit.

L'horloge égrenait son tic-tac monotone. Le seul autre bruit était celui de leur respiration. Et le ronronnement du chat.

Sara serra les dents. Celui-ci continuait de lui piétiner les cuisses. Il devait avoir les griffes les plus acérées du Montana ! Mais peut-être était-ce elle qui avait les sens les plus exacerbés de tout l'Etat.

Elle sentait la chaleur qui émanait du corps de Flynn. Il était si proche qu'elle pouvait toucher du doigt sa cuisse nue.

Du calme ! Elle ne devait pas s'autoriser de telles pensées.

Allaient-ils rester sur ce canapé encore longtemps ? se demanda-t-elle avec impatience. Liam les trouverait-il au matin raides comme des planches ?

C'était vraisemblable car Flynn semblait déterminé à attendre. Et il avait de loin la position la plus confortable. Il occupait les deux tiers de cette maudite banquette.

Sara laissa échapper un soupir agacé, auquel Flynn répondit par un bâillement à se décrocher la mâchoire.

— Je ne suis pas responsable si je te touche pendant mon sommeil, l'informa-t-il.

— Encore une fois, va dormir dans la chambre.

— Pas sans toi.

— Bonté divine ! Cette situation est complètement ridicule !

— En effet, acquiesça-t-il gravement. Alors qu'il y a un lit confortable là-haut et assez grand pour nous deux. Plus le chat, si tu veux.

Sans toucher Sara, il se mit à caresser le chat derrière les oreilles.

La jeune femme cessa de respirer et coula un regard furtif dans sa direction. A la lueur de la lune, elle distinguait les ombres de son profil taillé à la serpe et le trait plus sombre d'une cicatrice sur sa mâchoire, qu'elle n'avait pas remarquée jusque-là.

— Une autre blessure par balle ? demanda-t-elle sans réfléchir.

Délaissant l'animal, Flynn se passa une main sur le menton.

— Exact, acquiesça-t-il, désinvolte.

En dépit de ce ton léger, Sara se rendit compte qu'il avait vécu des choses terrifiantes pendant ces six ans où elle l'avait cru occupé à rapporter des potins sur les stars.

— Pourquoi as-tu fait ça ? s'enquit-elle, désireuse soudain d'en savoir plus.

Flynn haussa les épaules, le regard perdu dans l'obscurité.

— J'étais jeune et stupide. Je me croyais invincible et immortel. Et j'avais besoin de prouver de quoi j'étais capable.

— Pas à moi, glissa vivement Sara.

— Non, pas à toi, convint-il. Mais tu as inspiré mes actes.

Devinant son étonnement, il poursuivit :

— Tu étais si farouchement déterminée. La vie n'était pas un jeu pour toi.

Mais elle l'avait été pour Flynn, reconnut-elle. C'était même une des choses qui l'avaient tant attirée chez lui. Il l'avait fait rire, lui avait appris qu'il y avait dans la vie plus que le devoir et l'obstination. Il lui avait fait découvrir l'amour...

Pour le bien qu'elle en avait tiré ! pensa-t-elle avec amertume.

— Tu m'as inspiré, répéta-t-il. Mais c'est à mon père que je voulais prouver quelque chose.

Sara ignorait quel genre de rapports il entretenait avec son père, et soudain elle se rendit compte que, pendant ces trois jours où ils avaient été totalement préoccupés l'un de l'autre, ils n'avaient parlé que d'elle-même. Et si Flynn lui avait confié ses goûts, il n'avait certainement jamais mentionné sa famille.

— C'est lui qui t'a légué ce château ? risqua-t-elle.

— Oui. C'est là que j'ai grandi.

Sara en resta pantoise.

— Comment se fait-il que tu ne m'en aies pas parlé... avant ?

Flynn haussa les épaules.

— Parce qu'alors ce n'était pas mon problème. J'étais libre. Mais Will est mort. C'était lui l'héritier du titre de comte. J'étais le suivant dans la lignée.

— Le titre de... comte ? fit-elle, complètement déroutée.

— Comte de Dunmorey, dit Flynn en se passant une main dans les cheveux avec lassitude. Neuvième du nom. Mon père, huitième comte de Dunmorey, est mort l'été dernier.

Sara écouta ses paroles, frappée de stupeur. Rien — absolument rien — n'était comme elle l'avait pensé. Elle se tourna vers lui, sans plus s'émouvoir que ses genoux effleurent la cuisse de Flynn.

— Tu m'as menti ! Tu m'avais dit à l'époque que tu venais aux Etats-Unis pour faire fortune.

— C'est la vérité. Je n'étais pas l'héritier de Dunmorey et je devais me battre pour faire mon trou. Mon père désapprouvait tout ce que je faisais en Irlande. Nous nous disputions sans cesse. Alors, j'ai claqué la porte et je suis venu ici tenter ma chance, trouver ma voie.

Dire qu'elle l'avait aimé sans rien connaître de lui ! pensa-t-elle. C'était ahurissant !

— Et tu l'as trouvée ? demanda-t-elle au bout d'un moment.

— Je le pensais jusqu'à ce que je te rencontre. C'est toi qui m'as mis au défi de mieux exploiter mes talents, ma passion pour l'écriture. Et c'est ce que j'ai fait. Je suis écrivain. Seulement, j'ai aussi d'autres devoirs, d'autres responsabilités.

En entendant ces paroles, Sara ne put réprimer un frisson.

— Et Liam dans tout ça ? Il n'est ni un titre ni un château ! se récria-t-elle avec indignation.

Perdu dans ses pensées, Flynn sursauta à cette exclamation.

— J'en suis parfaitement conscient, qu'est-ce que tu crois ? lança-t-il d'un ton sec, contenant sa colère avec peine. Il est plus important que tout le reste.

— J'ai seulement besoin d'en être sûre.

— Rassure-toi. Je sais ce qu'il en est de n'être rien. Tu n'as pas besoin de me le rappeler !

Sara aurait souhaité qu'il se livre davantage — il y avait tant de choses qu'elle ignorait de lui — et, en même temps, elle avait peur de l'interroger. Car elle savait que si elle n'y prenait garde, elle risquait de retomber dans le même piège que six ans plus tôt : s'éprendre d'un homme qui ne l'aimait pas vraiment, un homme qui n'était revenu que parce qu'il s'intéressait à leur fils.

Comme Flynn n'ajoutait rien, la jeune femme se tourna vers la fenêtre derrière laquelle se profilaient des ombres argentées. Rien de clair, ni de précis. Exactement comme sa vie. Quelques heures plus tôt, elle avait su exactement où elle en était et les buts vers lesquels elle tendait. Maintenant, elle n'avait plus aucune certitude.

Le silence semblait s'amplifier. Puis Flynn déclara enfin :

— Liam représente une responsabilité, bien sûr. La mienne autant que la tienne. Mais je veux plus que ça. Je veux être un vrai père pour lui. Le genre de père que je n'ai pas eu.

Sara se raidit.

— Et comment comptes-tu t'y prendre ? Tu vis en Irlande ! fit-elle remarquer.

— Ce n'est pas ma faute et je ne peux pas faire autrement, bougonna Flynn. Mais le fait d'être comte ne m'empêche pas d'être un bon père.

— Tu ne l'emmèneras pas dans ton pays, l'avertit-elle.

— Je t'ai déjà dit que je ne te l'enlèverais pas. Nous pourrions partir tous les trois…

— Non !

Il s'abstint d'abord de tout commentaire, se contentant de l'observer dans la pénombre, tandis que, mal à l'aise, Sara se tenait sur ses gardes, troublée sous son regard insistant.

Oh ! Pourquoi était-il revenu justement maintenant ? Pourquoi pas cinq ans plus tôt quand elle pouvait encore croire qu'il l'aimait ? Ou dans cinq ans d'ici ? Elle aurait peut-être été mariée et heureuse, avec un homme qu'elle chérissait ? Pourquoi *maintenant* ?

— Ne t'inquiète pas, Sara, dit-il doucement.

Il y avait dans sa voix une tendresse perceptible qui lui fit mal.

— Je ne suis pas inquiète. Je vais parfaitement bien.

— Bien sûr.

Cette incrédulité aurait hérissé la jeune femme si elle ne s'était sentie trop lasse pour se rebeller. Tous ses muscles étaient tendus et douloureux. Elle se laissa aller un peu contre le dossier et sentit le bras de Flynn contre son dos. Comme il ne faisait pas un geste pour l'étreindre, elle ne bougea pas.

— Va te coucher, murmura-t-elle.

— Quand tu iras toi aussi, dit-il en souriant. A toi de décider.

— Alors, je reste ici, s'obstina Sara.

— Moi aussi…

Mais avant que cette conversation ne vire à un ridicule encore plus parfait, du bruit se fit entendre à l'étage.

— Maman ! Ma… man ?

Aux cris angoissés de Liam, Sara bondit aussitôt sur ses pieds et se dépêtra de la couette, évacuant le chat.

— Tout va bien, Liam. Je suis en bas, cria-t-elle en courant vers l'escalier.

Le petit garçon se tenait debout en haut des marches, serrant dans ses bras son singe en peluche.

— T'étais où ? demanda-t-il, prêt à pleurer.

— En bas, répondit Sara en le rejoignant et en le serrant contre elle. Tu as fait un mauvais rêve ?

Liam secoua la tête.

— Non. Je me suis réveillé et j'ai regardé par la fenêtre pour voir le château. Je croyais avoir rêvé. Mais, il est toujours là. Et mon papa…

— Tu ne l'as pas rêvé non plus, Liam.

— Je sais. C'est à cause du roi. Je suis allé dans ta chambre pour te le montrer et tu n'étais pas là.

Il renifla, s'essuya sur la manche de son pyjama.

— Viens voir.

Il prit la main de Sara et la conduisit jusqu'à la fenêtre, dont il écarta les rideaux.

— Regarde !

Sara se pencha et contempla le château que Liam et Flynn avaient construit. Devant, se trouvait un bonhomme de neige.

— C'est le roi ! Tu vois sa couronne ? indiqua Liam. Et son… euh…

— Son sceptre, souffla la voix de Flynn juste derrière eux.

Le petit garçon fit volte-face, un sourire radieux aux lèvres.

— Papa ! Tu es là ! s'écria-t-il, fou de joie. Je croyais que tu étais parti dormir à Livingston.

— Je suis là, lui dit Flynn doucement.

— Il est temps de retourner au lit, déclara Sara. Si tu ne t'endors pas tout de suite, tu ne voudras pas te lever pour aller à l'école.

— Oh ! Si. Même que je leur dirai que mon papa est là.

Sara le borda et l'embrassa tendrement.

— A papa, maintenant, supplia Liam en tendant les bras.

Flynn se pencha maladroitement. Sa jambe blessée le déséquilibrait, mais il n'y prit garde et serra son fils dans ses bras avant de l'embrasser à son tour.

Sara sentit au fond d'elle-même quelque chose qui ressemblait à une douleur. Parce que cette scène était fausse ? Ou si juste, au contraire ? Elle aurait voulu connaître la réponse à cette question.

— Tu seras là demain matin ? demanda l'enfant.

— Oui, je serai là, promit Flynn.

Même si elle ne pouvait les voir, Sara n'eut aucun mal à deviner les étincelles qui brillaient dans les yeux de Liam. La joie du petit garçon et le lien qui se tissait entre le père et le fils étaient évidents.

— Dodo, maintenant, dit Flynn avant de faire le geste d'entraîner Sara hors de la chambre.

Mais elle tenait à dire encore un mot à Liam :

— Ne te mets pas d'idées en tête, d'accord ?

Elle lui tapota le bout du nez, puis se redressant, sortit de la chambre la première.

Comme elle se dirigeait vers l'escalier, Flynn la rattrapa en haut des marches et, la saisissant par le bras, l'attira dans l'autre chambre dont il referma la porte derrière eux.

— Enfin, qu'est-ce qui te prend ?

— Tu veux qu'il s'endorme ? demanda Flynn en s'adossant contre le battant. Alors, couche-toi dans ton lit. Si tu redescends, il va encore se demander ce qui se passe.

Sara voulut discuter, mais au fond d'elle-même elle savait que Flynn avait raison. Bien sûr, Liam s'attendait à ce qu'elle retourne dans sa chambre. Et même avec Flynn, parce que, dans le monde de Liam, les mères et les pères dormaient dans le même lit.

Elle soupira, se sentant prise au piège.

— Tout se passera bien, lui assura Flynn. Je dormirai en bas, si c'est ce que tu veux. Mais seulement quand Liam sera endormi.

Sara hésita en frissonnant. De froid ou d'émotion ? Elle n'aurait su le dire.

— Allons, Sara. Tu es gelée.

S'arrachant de la porte, il la guida jusqu'à ce qu'elle sentît le matelas contre ses mollets. Elle tomba assise sur le lit.

Flynn prit place auprès d'elle et se mit à frictionner ses doigts tremblants entre les siens.

— Mets-toi au lit.

Et sans lui laisser le temps de protester, il lui souleva les jambes et la coucha d'autorité sous la couette, avant de s'étendre à son tour. Se coulant contre le dos de Sara, il posa un bras autour de sa taille et l'attira contre lui.

— Tu avais dit que tu ne me toucherais pas, s'insurgea-t-elle.

— Et tu m'as répondu que je serais incapable de m'en

empêcher, murmura-t-il contre son cou. Tu avais raison. Maintenant, tais-toi et dors.

— Flynn…

— Chut !

Sara resta là, tremblante et tendue. Incrédule aussi. *Elle était au lit avec Flynn Murray !*

— Sara, détends-toi.

Elle sentit les lèvres de Flynn lui frôler l'oreille. Comme si elle pouvait se détendre ! Mais elle n'allait pas non plus rester raide comme une statue de glace. Sans qu'elle en prît conscience, ses muscles se relâchèrent peu à peu. Flynn se pressa contre elle, testant une position plus confortable.

— C'est mieux, murmura-t-il avec satisfaction.

Bientôt, son souffle devint régulier et le bras qu'il avait passé autour de la taille de la jeune femme se relâcha. Pour autant, son corps était ferme, tiède et terriblement excitant.

D'un instant à l'autre, il tenterait un geste vers elle, se dit Sara. Comme de lui mordiller l'oreille, de glisser une main sur son ventre ou vers ses seins. Il la caresserait, la taquinerait, l'exciterait…

Mais elle saurait lui résister ! se dit-elle avec détermination.

A cet instant, Flynn laissa échapper une faible plainte. Puis une autre.

Sara écouta. *Il dormait !*

Il n'avait pas aussi bien dormi depuis des années. Flynn soupira d'aise et s'étira, savourant ce réveil, la douceur tiède de la couette, le matelas confortable. Il ne savait pas où il se trouvait, seulement qu'il ne s'était pas mieux senti depuis… « Toujours » ne semblait pas une exagération.

Il n'était pas à Dunmorey. Ça, il en était sûr sans même ouvrir les paupières. Parce que là-bas la première chose qui frappait sa conscience, c'était le bruit de la pluie gouttant dans les seaux, puis l'humidité glacée qui régnait dans la chambre qu'il n'avait pas les moyens de chauffer, et le sentiment de l'écrasante responsabilité qui lui incombait. Or, il n'éprouvait aucune de ces sensations pesantes.

Il n'était pas non plus dans un de ces innombrables hôtels ou dortoirs qu'il avait occupés pendant ses reportages, quand le sens du danger le faisait bondir du lit presque avant d'être réveillé.

Au contraire, il se sentait véritablement chez lui, comme s'il avait enfin trouvé son port d'attache. Il eut aussi l'intuition qu'on l'observait et ouvrit les yeux.

Un regard vert était braqué sur lui.

— Will... ? articula-t-il.

La seconde d'après, il comprit son erreur. Une onde de chagrin le traversa, en même temps que la joie de reconnaître celui qui se trouvait là. Son fils.

— Salut, Liam.

La figure du petit garçon se fendit d'un large sourire.

— Je le savais ! J'ai dit à maman que tu serais levé avant que je parte à l'école. J'y vais dans dix minutes. Alors, dépêche-toi !

Avant qu'il ait eu le temps de répondre, Flynn entendit qu'on montait l'escalier.

— Lewis William ! Je te défends d'aller...

Une injonction que Sara ne put achever. Elle se figea sur le seuil. Son regard effleura son fils et plongea en plein dans celui de Flynn.

Il lui sourit, comprenant enfin la raison de son bien-être. Elle avait les joues empourprées. Ses cheveux courts étaient en désordre. Elle portait un jean et un pull, mais il se rappelait ses courbes douces sous la fine flanelle de sa chemise de nuit. Et il se rappelait même beaucoup plus que cela : des souvenirs qui remontaient à six ans… Il désirait de nouveau son corps. Oui, il désirait Sara. Douloureusement.

Mais il devait s'interdire d'y songer s'il voulait se lever dans peu de temps !

— Il était réveillé, m'man. Hein, c'est vrai ? se défendit le petit garçon en implorant Flynn du regard.

Flynn confirma sans quitter Sara des yeux.

— Maintenant il faut que tu te lèves, continua Liam d'une voix urgente. Sinon, tu ne pourras pas venir à l'école avec moi.

— Ne sois pas ridicule. Ton père n'a pas besoin de t'accompagner, objecta Sara.

Elle se tenait très droite, les mains sur les hanches, arborant une mine sévère en guise d'armure. Et Flynn la trouvait exquise.

— Aujourd'hui, on doit apporter quelque chose pour faire une présentation, gémit Liam. Je ne vais pas apporter mon camion en Lego, alors que j'ai un papa que personne n'a jamais vu !

— J'irai, décréta Flynn en repoussant la couette. Descends avec maman pendant que je m'habille.

Il s'adressa à Sara.

— J'imagine que tu n'as pas de rasoir ?

— Des jetables dans le placard de la salle de bains. Il y a aussi des brosses à dents neuves, répondit-elle sans le regarder. Viens, Liam.

Elle prit son fils par la main et, avant de quitter la chambre, lança par-dessus son épaule :

— Tu n'es pas obligé de faire ça, Flynn.

— J'y tiens, répondit-il.

De fait, il se sentait prêt à tout, tant l'envie qu'il avait de faire partie de cette famille était forte, tant il voulait Sara. Et pas seulement dans son lit. Il la voulait…

Dans sa vie.

6.

C'était trop fort ! Flynn Murray, même non rasé, avait l'air frais et dispos, tandis qu'elle avait l'impression d'être passée sous un chasse-neige, tant elle se sentait à cran et abattue ! songea Sara, maussade.

Voilà ce qui arrivait quand on restait éveillée la majeure partie de la nuit. Mais comment diable aurait-elle pu dormir ?

Elle était encore bouleversée par les événements de la veille. L'apparition de Flynn, la réaction de Liam, les révélations de Flynn dans l'obscurité… Et comme si cela ne suffisait pas, elle avait dormi dans ses bras !

Dormi ? Façon de parler. Elle avait à peine fermé l'œil. Des pensées traîtresses n'avaient cessé de l'assaillir. Des idées de bonheur, folles, romantiques, idéalistes, de celles que la jeune et innocente Sara McMaster avait entretenues autrefois.

C'était de la folie, bien sûr. Flynn était comte et vivait dans un château en Irlande ; et elle vivait dans une minuscule maison à Elmer, dans le Montana. Deux mondes opposés, exactement comme six ans plus tôt.

C'était peut-être à ce stade qu'elle s'était assoupie. Vers 5 heures, quand elle s'était réveillée en sursaut, elle s'était écartée vivement, parce que, bien que profondément endormi, Flynn avait roulé sur le dos… l'entraînant avec lui ! Ce qui avait fatalement rappelé à Sara leur première nuit d'amour. Il l'avait attirée ainsi et l'avait invitée à prendre l'initiative…

Et c'est ce qu'elle avait fait. Elle avait exploré son corps splendide, avait appris à en obtenir les réponses les plus sauvages, jusqu'à ce que Flynn gémît : « Bon sang ! Sara, tu vas me tuer… »

Bannissant ces souvenirs, elle s'était glissée hors du lit. Le froid qui régnait dans la chambre avait rendu la réalité plus facile à supporter. Attrapant ses vêtements, elle avait filé vers la salle de bains.

A l'heure de réveiller Liam, elle avait terminé la comptabilité de la quincaillerie qu'elle avait dû abandonner la veille, avait fait une lessive, nourri le chat, tout ce qu'elle faisait d'ordinaire… tout en restant consciente que Flynn dormait dans sa chambre.

Malheureusement, Liam l'avait su lui aussi et avait voulu réveiller son père immédiatement. Maintenant il était presque l'heure qu'il parte à l'école.

— Je n'emporterai pas mon camion, protesta-t-il. Je veux mon papa.

— Ne sois pas ridicule, Liam. Ton camion est un magnifique objet à présenter.

— Un papa, c'est mieux, insista-t-il, buté.

Elle aurait encore discuté, si elle n'avait pas entendu les pas de Flynn dans l'escalier.

— Fin prêt, annonça-t-il d'un ton jovial.

Ses cheveux étaient humides et coiffés, même si ses joues étaient toujours ombrées de barbe, ce qui lui donnait un air de pirate, diaboliquement sexy.

Sara ébaucha une grimace, sur laquelle il se méprit, car il se caressa le menton, l'air penaud.

— Je sais, j'ai trouvé les rasoirs, mais je n'avais plus le temps. Bah ! Les enfants n'y feront pas attention.

Sans doute, mais l'institutrice allait baver d'admiration, elle !

pensa Sara. Et qu'est-ce que ce serait quand elle apprendrait qu'il était comte ?

— Tu n'es pas obligé d'y aller, répéta-t-elle.

Mais Flynn souriait comme s'il savourait cette perspective.

— Bien sûr que si. Combien d'enfants ont l'occasion d'amener leur père perdu de vue depuis longtemps pour un exposé ?

Il allait probablement aimer l'expérience, pensa Sara. Ça ne le dérangeait pas d'être au centre de l'attention, même si les gens risquaient de s'intéresser de nouveau à leur histoire. Du reste, pourquoi aurait-il eu des scrupules ? Il ne vivait pas dans leur petite communauté.

Il enfila son blouson, tandis que Liam sautillait sur place, fou de joie. Déjà il ouvrait la porte et Liam, s'arrêtant juste le temps d'embrasser sa mère, fila devant lui.

— *Slàn leat*, Sara.

Au revoir, en gaélique. Il lui avait appris cette expression, six ans plus tôt. Et elle n'avait pas cru qu'il parlait sérieusement. Maintenant elle espérait qu'il partirait pour de bon.

— Au revoir, murmura-t-elle en se tournant vers l'évier, impatiente d'être seule.

Mais au lieu de sortir, Flynn retraversa la cuisine et la fit pivoter entre ses bras.

— Flynn ! s'indigna-t-elle.

— Sara, murmura-t-il, un sourire malicieux aux lèvres.

Il se pencha et l'embrassa avec fougue.

Sara sentit la tête lui tourner, son corps fondre. Elle goûta son haleine fraîche, sentit la griffure de sa barbe contre sa peau. Elle se pressa contre lui, sentant la maîtrise d'elle-même lui échapper. Non, il n'avait pas le droit de lui faire ça. Qu'avait-il en tête ?

— Papa, tu viens ?

La voix impatiente de Liam leur parvint du dehors. Et comme leur baiser se prolongeait, il rentra en courant.

Sara rouvrit les yeux et découvrit Liam qui les contemplait, la mine ahurie, les yeux démesurément agrandis. Puis un sourire fendit soudain son visage.

— Woaw ! murmura-t-il. Oh ! Woaw…

Oh ! Non. Sara se dégagea des bras de Flynn, le cœur battant et d'autant plus furieuse que Flynn souriait.

— Tu m'as manqué, Sara.

D'une voix sifflante, elle répliqua :

— Eh bien, pas à moi ! Et je ne veux pas que tu donnes des idées à Liam !

Mais un regard en direction de leur fils lui apprit qu'il était déjà trop tard pour cela. Elle devinait trop bien ce qui se passait dans sa tête d'enfant. Et quand Flynn le suivit enfin dehors, elle entendit Liam demander :

— Ça veut dire que tu vas te marier avec ma maman ?

« Les grands esprits se rencontrent », pensa Flynn.

Epouser Sara était la meilleure idée qui lui fût venue depuis des siècles. Et le fait que Liam y fût favorable en faisait une idée tout simplement géniale.

— Maman est très seule, déclara le petit garçon, comme ils marchaient vers l'école. Tu sais, je ne suis pas là tout le temps. Quelquefois, après le goûter, je vais jouer avec mes copains. Elle dit que la compagnie de Sid lui suffit, mais je ne crois pas.

— Sid ? s'enquit Flynn, subitement inquiet.

— Mon chat.

— Oh ! Je comprends mieux.

Flynn fut surpris de découvrir à quel point il était soulagé d'apprendre que celui qui comblait la solitude de Sara n'était qu'un brave matou ronronnant.

— Si vous vous mariez, tu pourras rester à la maison avec elle, dit Liam. Et peut-être qu'on pourrait aller visiter Dunmorey ?

Cela semblait effectivement une très bonne idée, se dit Flynn. Passer les nuits auprès de Sara ne représentait certainement pas une corvée. Ni construire des châteaux avec son fils. Il aimait le temps qu'il passait avec lui.

Et avec Sara ? En fait, ils n'avaient jamais eu beaucoup de temps à passer ensemble. Mais il y avait un début à tout. En dépit de la résistance de la jeune femme, il était sûr qu'au fond elle était restée la Sara qu'il avait connue. Elle l'embrassait comme avant.

Oui, c'était une bonne chose que Liam soit revenu à la porte. Sinon, Dieu savait ce qui serait arrivé !

— Nous en reparlerons, fiston, promit-il.

Sur quoi, Flynn suivit son fils à l'intérieur de l'école.

Sara avait étalé sur la table la comptabilité du centre de rodéo. Elle avait sorti les documents dès que Flynn avait refermé la porte, refusant de penser au baiser qu'il lui avait donné et encore moins à la question maladroite de Liam.

C'était le moment où elle se mettait au travail. Elle avait des comptes à terminer. La veille, elle avait perdu assez de temps.

Mais elle n'avait pas beaucoup avancé quand, au bout d'une heure et demie, elle entendit la porte de derrière s'ouvrir. Flynn entra dans la cuisine, avec un air extraordinairement content de lui.

— J'ai beaucoup plu à toute la classe, annonça-t-il.

— Ça, j'en suis sûre, marmonna Sara, décidée à l'ignorer.

Elle reprit ses comptes, pianota sur la calculatrice. Mais

elle comprit bientôt qu'elle allait devoir reporter ce travail. Elle était trop déconcentrée en présence de Flynn.

— C'était amusant. Je leur ai montré l'Irlande sur une carte et j'ai indiqué le point où se trouvait Dunmorey, poursuivit-il gaiement. Ils ont été impressionnés quand j'ai parlé du château.

— Oh ! Je me demande pourquoi, ironisa Sara.

Il se mit à rire.

— Moi aussi. C'est une vieille forteresse remaniée qui demande beaucoup d'entretien.

Sara haussa les épaules, peu intéressée.

— Je travaille, l'informa-t-elle. Et tu me déranges.

— Vraiment ? Bien.

Cependant, au lieu de quitter la pièce, Flynn ôta sa veste et alla s'appuyer au plan de travail.

— Il n'y a pas de bien qui tienne, dit-elle avec fermeté. J'ai du travail à terminer.

— Je peux attendre. Je vais jusqu'à la voiture chercher mon ordinateur.

— Non ! Je ne vais pas accomplir grand-chose si tu restes là.

— Ça m'arrange. Parlons, dit Flynn.

— A quel sujet ? Liam ?

— Liam, entre autres.

Il saisit la main de la jeune femme, la força à se lever et l'entraîna vers le salon.

— Enfin, vas-tu m'expliquer ? dit-elle en lui résistant. De quelles autres choses désires-tu me parler ?

— De nous, répondit-il en lui enlaçant la taille.

Sara se raidit, essaya de s'écarter.

— Il n'y a pas de nous !

— Vraiment, Sara, *a stór* ?

Sa bouche était toute proche. Instinctivement, Sara s'humecta les lèvres. Mais au lieu de l'embrasser, Flynn la guida vers le sofa où ils étaient restés assis côte à côte la nuit dernière.

Il ne s'attendait tout de même pas à ce qu'elle reprenne sa place pour terminer leur conversation ? pensa Sara en cherchant à s'esquiver vers le vieux fauteuil à bascule.

Mais Flynn, plus prompt, la saisit par la taille et ils tombèrent ensemble sur le canapé. Sara atterrit sur ses genoux, le regard braqué sur ses yeux verts, hypnotiques et terriblement sensuels. Mon Dieu ! Comment réussissait-il à l'envoûter ainsi ?

Captive, Sara se résigna à reprendre sa position de la veille sur la banquette.

— Non, il n'y a pas de nous ! répondit-elle, exaspérée.

— Et nos baisers ?

Il pencha la tête comme pour sonder sa sincérité. Sara haussa les épaules en regardant au loin.

— Sans importance, commenta-t-elle.

— Menteuse, murmura-t-il. Tu veux que je te le prouve ?

Elle lui jeta un regard furieux.

— Pas la peine ! l'arrêta-t-elle. Qu'est-ce que tu veux que je te réponde ? Que tu es capable de me transformer en cire molle ?

La bouche de Flynn esquissa un sourire railleur.

— Ça ne me déplairait pas de l'entendre.

— Considère que c'est chose dite, éluda-t-elle d'une voix mordante. Ça ne change rien, Flynn. C'était bref et sans conséquence. C'est fini.

— Non, ça ne l'est pas, dit-il sans sourire cette fois. Et tu le sais. Pourquoi t'opposes-tu à moi ?

— Parce que je ne te fais pas confiance ! Je pensais te connaître, je croyais que tu étais la seule personne au monde capable de me comprendre... Que tu serais là pour moi, que tu m'aimais vraiment. Eh bien, j'avais tort !

Elle n'aurait pu être plus claire. Croisant les mains, elle fixa le paysage par la fenêtre, sans le voir. Pour autant, elle gardait une conscience aiguë de Flynn. Elle l'entendit pousser un long soupir.

— C'est peut-être moi qui avais tort, dit-il calmement. J'ai fait ce qui m'a semblé être le mieux, Sara. Je ne peux rien y changer, hélas. Mais je veux me rattraper.

— Que veux-tu dire ?

— Sara, je suis là maintenant et je le resterai.

Se tournant vers lui, elle le dévisagea avec incrédulité. Flynn lui sourit d'un air confiant comme s'il venait de prendre une décision.

— Nous pouvons nous marier, déclara-t-il.

— *Quoi ?* Ne sois pas ridicule. Tu n'as aucune envie de m'épouser.

— Sara, je veux te prendre pour épouse.

Cette réponse ressemblait tellement à un serment qu'elle eut envie de se boucher les oreilles.

— Arrête ! C'est Liam que tu veux. Et Liam pense que tu devrais m'épouser. Mais il n'a que cinq ans, Flynn ! Tu ne vas pas laisser un enfant de cet âge gouverner ta vie.

Elle se leva et arpenta la pièce d'un air indigné.

— Ce n'est pas que pour lui, protesta-t-il, se levant à son tour.

— Tu me fais une faveur, c'est ça ? glapit Sara.

— C'est à nous deux que j'en fais une. Nous ne sommes pas indifférents l'un à l'autre, Sara.

Oh ! Pour ça, il avait raison. Elle avait envie de le tuer !

Elle prit une profonde inspiration, s'exhortant au calme, puis lentement, secoua la tête.

— Non, merci. Je ne t'épouserai pas.

Parce que, même s'il ne lui était pas indifférent, qu'il la troublait au point de la faire fondre et que leur fils de cinq ans leur donnait sa bénédiction, ce n'était pas une raison suffisante pour se marier !

Pour un homme qui avait fait des mots son métier, il avait certainement fait un beau gâchis avec sa demande en mariage, pensa Flynn. Comme s'il avait eu le temps de penser à des phrases romantiques, en rentrant de l'école de Liam ! Et maintenant, dehors dans la neige, il essayait d'assumer cette colossale défaite et de trouver le moyen d'y remédier.

Il ne pouvait certainement pas se permettre de déclarer à Sara un amour éternel quand il n'était là que depuis la veille ! Mais, qu'elle le veuille ou non, il y avait quelque chose entre eux en dehors de Liam. Il l'avait déjà ressenti six ans plus tôt quand Sara l'avait séduit. Et il le ressentait encore aujourd'hui. Seulement à l'époque, il avait été trop stupide pour le reconnaître.

Et pour être tout à fait franc, peut-être avait-il eu peur aussi, parce qu'il n'avait pas eu grand-chose à lui offrir en dehors d'une vie d'errance au gré de ses reportages, sans aucun endroit qu'il eût pu appeler un chez-soi. Et pour Sara, un foyer était ce qui importait avant tout. Elle était issue d'un foyer chaleureux qui l'avait aidée à être ce qu'elle était.

Tout comme Dunmorey avait fait de lui ce qu'il était — un homme toujours en route, déterminé à relever le défi paternel, et qui maintenant tenait à jouer son rôle de père du mieux qu'il pouvait.

Et un homme qui avait saboté une demande en mariage à la femme qui avait trouvé le chemin de son cœur.

— J'y arriverai ! s'écria-t-il, s'adressant à la fois à son père, à lui-même et aux passants qui longeaient le jardin de Sara.

Autrefois, il avait décidé de ne jamais se marier, se rappela-t-il. Il avait repoussé tous les efforts que faisait sa mère pour lui présenter une épouse potentielle. Non que cela l'eût découragée, du reste…

« Cela t'arrivera pourtant un jour, quand la femme qui t'est destinée se présentera », lui prédisait-elle.

De fait, celle-ci s'était présentée. *Sara.*

Et pour la seconde fois, il avait quitté le seul bonheur qu'il eût connu jusque-là.

Flynn n'était pas parti, malheureusement.

Oh ! Il était bien sorti et Sara avait espéré le voir disparaître pour de bon. Mais il n'était pas allé plus loin que le jardin, comme elle le constatait en écartant les rideaux de la cuisine. Il envoyait des coups de pied dans la neige, marchait de long en large, les mains dans les poches. Et il avait toujours l'air d'être l'homme le plus séduisant de la Terre.

— « Va-t'en », lui adressa-t-elle silencieusement.

Sid vint se coller contre ses jambes.

— Il voulait m'épouser, dit-elle au chat.

Et comme elle ne savait si elle devait rire ou pleurer, elle fit ce que sa mère lui aurait suggéré si Polly s'était trouvée là : elle se remit au travail.

Il rentra au moment où Liam revenait de l'école. Elle ignorait ce qu'il avait fait dans l'intervalle, et franchement elle s'en moquait.

Il ôta son blouson et quand, avec réticence, Sara lui offrit une tasse de café, il accepta.

— Le Busy Bee est-il toujours le seul restaurant d'Elmer ? demanda-t-il.

Et comme Sara acquiesçait, il ajouta :

— Allons dîner là-bas.

— Oh ! Super ! s'écria Liam avec enthousiasme.

— Liam et toi, vous pouvez y aller..., commença-t-elle.

— Tous les trois, coupa Flynn.

Elle lui jeta un regard irrité. Impassible, il attendit sa réponse.

— Comme tu veux, capitula-t-elle. Maintenant va-t'en, j'ai du travail.

Flynn obéit et suivit Liam à l'étage.

Sara entendait le bavardage animé de Liam et les réponses plus mesurées de son père. Elle essaya de se concentrer, répétant les chiffres à voix haute. Mais ce fut presque un soulagement quand, une heure plus tard, Liam dégringola l'escalier.

— Papa et moi, on meurt de faim !

Ils se rendirent tous trois au Busy Bee. Le petit restaurant était comme d'habitude très animé. Ranchers et commerçants étaient déjà attablés, ainsi que quelques familles de Bozeman. Si tout le monde à Elmer ne savait pas déjà que Flynn Murray était de retour, vers la fin du repas plus personne ne l'ignorait. On se souvenait du journaliste qui avait écrit un fameux article sur la kermesse western... et qui avait laissé un enfant derrière lui.

Chacun s'arrêtait à leur table pour le saluer et pour entendre Liam dire : « C'est mon papa ! »

Et Flynn réussissait à les charmer tous, évidemment. Il serrait des mains, demandait des nouvelles de la famille, du bétail, bavardait aimablement, la main posée sur l'épaule de Liam, le genou pressé contre celui de Sara sous la table.

— Content que vous soyez de retour... Un garçon a besoin de son père..., lui répondait-on.

— Et j'ai aussi besoin de lui, acquiesçait Flynn.

Certains osaient même ajouter :

— Sara mériterait bien...

Heureusement, Sara réussissait à couper court. Quand on

arriva au dessert, elle songea que si Flynn s'était présenté comme candidat à la mairie d'Elmer, il aurait remporté l'élection haut la main.

Quand ils rentrèrent à la maison, elle avait chaud, malgré l'air glacé, et se sentait à bout.

— Je me demande à quoi tu joues, explosa-t-elle après avoir envoyé Liam prendre sa douche.

Flynn parut surpris.

— Je te fais la cour, pardi !

— *Quoi ?*

— Comment ? Je n'en ai pas l'air ? Tu sais, c'est quand un homme fait des compliments à une femme, lui donne rendez-vous, lui apporte des fleurs...

— Je sais ce que ça veut dire, bon sang ! Arrête !

Flynn secoua la tête avec un air d'aimable excuse.

— J'ai tout gâché cet après-midi, Sara. Je ne vais pas risquer de tout faire capoter une nouvelle fois.

— Il n'y aura pas de nouvelle fois !

Il se contenta de la regarder et elle sut immédiatement qu'il ne croyait pas un mot de ce qu'elle disait.

— Et ne compte pas passer la nuit ici, l'informa-t-elle. Reste jusqu'au moment de souhaiter bonne nuit à Liam, et pars ensuite. Promets-le-moi.

Il l'observa longuement, avant d'acquiescer.

— Si c'est vraiment ce que tu veux...

— Bien sûr, et rien ne me fera changer d'avis, dit-elle, acerbe, avant de se précipiter dans l'escalier pour voir où en était la toilette de Liam.

Quand Liam fut couché, Flynn vint s'asseoir au bord du lit et lui raconta une histoire sur un comte de ses ancêtres qui avait été blessé en défendant Dunmorey contre une bande de brigands.

— Il a gagné ? demanda Liam, les yeux brillant d'excitation.

— Bien sûr. C'est pourquoi nous possédons toujours le château. Il a vécu jusqu'à un bel âge et il est mort dans son lit, chaussé de ses bottes !

Liam se mit à rire.

— Il avait peur des inondations ?

— Probablement. Encore qu'à son époque le toit devait être en bon état, dit Flynn, désabusé.

Liam se redressa contre son oreiller, en se trémoussant de plaisir.

— J'aimerais tellement voir Dunmorey.

— Liam ! le reprit Sara. Il est temps de dormir, à présent.

— Un jour, dit Flynn, en regardant Sara.

Et tandis qu'elle lisait dans son regard vert une lueur de défi, à son grand désarroi, elle y vit aussi… une promesse.

Il embrassa le petit garçon.

— Dors, maintenant, dit Flynn avec fermeté.

Quand elle eut embrassé son fils à son tour, elle alla rejoindre Flynn sur le palier.

— Il faut que tu partes, maintenant, lui dit-elle comme ils descendaient au rez-de-chaussée. Tu as promis.

Et cette promesse, elle devait l'obliger à la tenir car dans son regard elle lisait la détermination qu'il avait à la séduire.

— Comme tu voudras, Sara.

Il prit son blouson.

— A demain matin.

Sara secoua la tête.

— Non, j'ai du travail et Liam sera à l'école.

— Nous pouvons travailler ensemble. J'écris un livre. Je ne suis pas un de ces hommes riches et oisifs, crois-moi.

Il s'approcha, plantant son regard dans le sien. D'instinct, Sara regarda furtivement sa bouche.

Elle fit un pas en arrière. Mais il était trop tard. Flynn glissa ses bras autour d'elle et l'attira contre lui.

— Flynn !

— Je vais m'en aller, lui assura-t-il. Mais pas tout de suite. Je te fais la cour.

Il se pencha et captura ses lèvres.

Sara se figea, résista à son contact, au goût de ses lèvres, avec toute la détermination dont elle était capable.

En pure perte. Il y avait dans son baiser une douce persuasion. Flynn n'exigeait rien. Il promettait seulement. Il l'embrassait avec une passion urgente.

Leur étreinte se prolongea. Il lui caressait doucement les lèvres du bout de la langue, piquetait de baisers aériens ses joues, ses paupières, la courbe douce de son menton. Son souffle enveloppait Sara, la rendait faible, affamée, en sapant sa volonté.

Le pire était qu'elle ne pouvait lutter contre elle-même, ni contre la passion et l'émotion d'autrefois, que depuis six ans elle essayait de nier.

Alors elle lui rendit son baiser. Elle ne pouvait s'en empêcher. Elle était son pire ennemi.

Elle entrouvrit les lèvres sous l'assaut de sa bouche, l'invitant à approfondir son baiser. Elle soupira et l'entendit gémir, perçut la chaleur de son corps pressé contre elle. Piégée entre lui et la porte, elle aurait voulu le repousser. Mais rien en elle ne put s'y résoudre.

Plus tard, encore quelques secondes… Le goûter, le caresser, encore un peu !

Ce fut Flynn qui s'écarta. Il s'arracha à leur baiser et la maintint à bout de bras, le souffle court. D'une voix haletante, il articula :

— C'est encore là, entre nous, Sara.

Elle le dévisagea, hébétée et chancelante, sa bouche formant un cri stupéfié, le cœur battant la chamade.

Sans la quitter des yeux, Flynn ouvrit la porte.
— Je reviendrai demain matin. *Coladh sàmh.*
Sara écarquilla les yeux.
Il esquissa un sourire bref.
— Fais de beaux rêves, traduisit-il.

7.

De beaux rêves ? Il ferait mieux de se faire psychanalyser ! Les siens étaient intenses, hautement érotiques et frustrants à hurler. Ce qu'il avait mérité probablement. Quel idiot interrompait une étreinte passionnée, alors que la femme qu'il voulait conquérir lui rendait son baiser ? Il n'y avait que lui, Flynn Murray, pour être aussi minable !

Mais cela lui avait paru chevaleresque. De plus, il avait promis. Ce n'était pas faute d'avoir voulu emporter Sara dans sa chambre pourtant. Simplement, cela n'avait pas été le bon moment.

Sara accordait de l'importance aux promesses, à l'intégrité, et s'il l'avait soumise à sa volonté, elle n'aurait pas manqué de le détester au matin — plus qu'elle n'essayait de le détester en ce moment, et avec plus de raison !

Voilà pourquoi il était parti. Il avait tenu parole.

Il espérait qu'elle pensait à lui. Pour sa part, il avait l'impression de devenir fou ! Il n'avait pas l'habitude de penser en termes d'amour et, pour un peu, il aurait arrêté la voiture et aurait couru se jeter dans la neige du bas-côté pour se rafraîchir les idées.

Arrivé au motel de Livingston, il avait passé la nuit à rêver de Sara et s'était réveillé, plus frustré et déterminé que jamais.

Il se leva et, dès 7 heures, se rendit à l'épicerie du coin.

Puis il poussa la porte du fleuriste dès qu'il vit de la lumière dans la boutique. A 8 h 30, il se présenta chez elle, portant son ordinateur, un sac de courses, un livre et des fleurs.

— Pour toi, dit-il en lui tendant le bouquet de jonquilles d'un jaune d'or éclatant. En les voyant, j'ai pensé à toi.

Car, pour lui, Sara évoquait toujours le printemps. Même ce matin, avec ses yeux légèrement gonflés, ses cheveux en désordre et ses joues pâles — en raison du manque de sommeil, se plaisait-il à penser — elle était comme la lumière dans sa vie.

Elle ouvrit des yeux démesurés quand il lui fourra le bouquet dans les mains, mais ne dit pas un mot.

— Ce n'est pas une blague, insista-t-il. Les jonquilles me rappellent le printemps. Et toi aussi…

Puis il grimaça et marmonna :

— Je ne sais pas dire ces choses-là.

Alors, Sara sourit. Un sourire si délicieux qu'il eut l'impression que le soleil se levait sur cette matinée glaciale.

— Merci, dit-elle. Elles sont si jolies.

L'éclat au fond de ses yeux apprit à Flynn qu'elle était sincère.

— Papa ! Tu es revenu !

Un autre rayon de soleil, d'une fulgurante énergie celui-là, dévala l'escalier et se jeta dans ses bras. Liam portait encore son haut de pyjama sur son jean et n'était pas chaussé.

— Devine ce que maman a fait ! Elle n'a pas entendu le réveil.

Flynn ne put s'empêcher de sourire à cette révélation. Avait-elle passé une nuit aussi exécrable que la sienne ?

— Il n'a pas sonné, rectifia Sara, le dos tourné pour arranger les fleurs dans un grand vase rouge.

— Ça arrive, assura Flynn, amusé.

Elle lui décocha un regard sévère par-dessus son épaule, avant de s'adresser à Liam.

— Veux-tu aller mettre ta chemise et tes bottes ? Tu ne vas pas aller à l'école avec ta veste de pyjama !

— J'y vais !

Passant le vêtement par-dessus sa tête, Liam le brandit comme un drapeau, en fonçant vers l'escalier.

— Qu'est-ce que c'est que ça ? demanda Sara en voyant Flynn déballer ses achats.

— De quoi manger, comme tu peux le voir. Si tu me nourris, je tiens à participer.

— Qui t'a dit que j'allais te nourrir ?

Flynn sourit.

— Ne fais pas ta mauvaise tête, Sara, *a stór*. Ça ne te va pas du tout.

Elle se passa une main dans les cheveux, les ébouriffant comme il aurait aimé le faire lui-même.

— C'est parce que j'ai travaillé très tard, s'excusa-t-elle. Je suis fatiguée et j'ai…

— Rassure-toi. Je ne vais pas te déranger aujourd'hui. Je serai aussi silencieux qu'une souris.

— Tu vas rester ? demanda Liam, qui revenait, vêtu d'une chemise mal boutonnée.

— J'espère, répondit Flynn. A moins que ta mère ne me jette dehors.

Tous deux se tournèrent vers Sara. Le regard qu'elle lança à Flynn signifiait : tu vas me payer ça ! Mais elle soupira et déclara à l'adresse de Liam :

— Il peut rester.

— Alors, tu seras là quand je rentrerai, papa ? demanda Liam au moment de quitter la maison pour se rendre à l'école.

— Je serai là, promis.

— Je ne sais pas ce que tu vas faire ici toute la journée, maugréa Sara quand Liam fut parti.

— Comme toi, je vais travailler.

Il finit de déballer les provisions et, à contrecœur, Sara les rangea. Puis il sortit son ordinateur portable et prit quelque chose dans la housse, qu'il soupesa un moment d'un air pensif.

— Ça aussi, c'est pour toi.

Refermant le placard, Sara accepta le présent qu'il lui tendait.

— Qu'est-ce que… ? Ton livre ! s'exclama-t-elle.

Flynn se sentait plus nerveux qu'il ne l'aurait pensé. Il se moquait de la façon dont le public accueillerait son livre, mais l'opinion de Sara lui importait au plus haut point.

— C'est le troisième que j'ai écrit. Ils sont tous sortis en Europe, mais celui-ci est le premier à être publié aux Etats-Unis.

Elle le retournait entre ses mains, examinant la jaquette, la photo de Flynn en quatrième de couverture.

— Il sera en rayon dans deux semaines. Tu es la première à l'avoir, précisa-t-il encore.

Sara l'ouvrit et trouva la dédicace sur la page de garde.

Flynn sourit, gêné. Il avait longtemps réfléchi à ce qu'il lui écrirait. Finalement, il avait griffonné ce message juste avant de quitter le motel le matin même, mais il doutait encore d'avoir choisi la bonne formule.

Sara,

C'est ce que je faisais quand j'aurais dû être près de toi. Désormais, je serai là.

Affectueusement, Flynn.

Longtemps, elle garda les yeux rivés sur ses mots. Puis elle releva la tête.

— Merci.

Sa voix grave, presque formelle, ne trahissait aucune émotion. Pourtant, Flynn reprit courage. Au moins, elle ne lui avait pas lancé son bouquin à la figure !

*
* *

Sara avait l'impression de subir un siège. Un siège très tentant qui s'accompagnait de fleurs et de provisions un jour, de chocolat et de thé le lendemain. Quand Flynn Murray avait décidé d'obtenir quelque chose — ou quelqu'un ! — tous les moyens lui étaient bons.

Il était là tous les matins et restait la journée entière. Il travaillait dur et ne s'arrêtait que pour bavarder un peu. Il lui racontait ses voyages, les gens qu'il avait rencontrés.

Sara n'avait pas résisté à l'envie de lire son livre, voulant connaître ce qu'il avait vécu dans ces zones dangereuses, les personnalités qu'il avait interviewées, ceux qui avaient failli le tuer... La nuit où elle lut ce passage, elle se mit à pleurer.

— C'est un livre merveilleux, lui dit-elle. Tu sais rendre ces gens si réels.

— Mais ils existent. Je raconte ce qu'ils m'ont appris.

Et il l'avait fait de façon si claire, si descriptive, si talentueuse ! Cela semblait d'autant plus étrange à Sara que, lorsqu'il lui parlait de Dunmorey, les mots l'abandonnaient.

Il s'y entendait assez bien pour raconter l'histoire du château, les exploits guerriers, ses fougueuses châtelaines et ses comtes sans scrupule. Mais dès qu'il s'agissait d'événements récents — son enfance, ses frères — le flot de paroles se tarissait.

Pourtant, un jour, il lui parla un peu de Will.

— Un héros, toujours disponible pour les autres. Il aurait fait un bien meilleur châtelain que moi...

Sara en doutait. Il recevait de nombreux coups de téléphone de son éditeur et d'un attaché de presse qui s'efforçait de lui organiser une tournée de promotion pour son livre. Mais le plus souvent, les appels provenaient de Dunmorey.

Flynn avait beau se trouver à des milliers de kilomètres,

il était toujours informé de ce qui se passait là-bas et prenait part à tout.

Bien que Sara ne captât que des bribes de conversation, elle était impressionnée par sa diligence et son autorité à traiter une affaire. Elle notait aussi à quel point il s'impliquait.

Quand elle lui en faisait part, il se bornait à répondre :

— Qui s'en chargerait ? Je suis le comte.

Oui, il était comte, mais le temps passant, et comme ils s'adonnaient à leur activité respective, Sara sut qu'il était toujours l'homme dont elle était tombée amoureuse. Et même si elle faisait de son mieux pour le tenir à distance, il parvenait à la taquiner, à la charmer. D'autant qu'il n'avait pas recours à de grandes manœuvres de séduction. C'étaient des confidences, des sourires complices, des caresses fugitives. Il n'y avait plus de baisers passionnés. Il réussissait à l'embraser d'un seul regard.

Sans doute devinait-il qu'elle lui résisterait s'il tentait de la séduire de façon trop directe. Au lieu de quoi, il répara son grille-pain, changea des prises de courant, dégagea la neige sur le toit de la véranda.

— Tu ne vas pas conduire seule en pleine campagne par ce temps, objecta-t-il un matin, quand elle lui annonça qu'elle devait sortir.

Sara se mit à rire.

— Je suis née dans le Montana. Je ne crains rien.

Effectivement, tout se passa bien, sauf qu'il se mit à neiger au retour. Les routes devenant dangereuses, elle dut s'arrêter pour équiper la voiture de chaînes, avant de traverser un col. Et elle rentra plus tard que prévu.

Liam et Flynn l'attendaient sur le pas de la porte.

— Nous étions inquiets, maman.

Mais un coup d'œil apprit à Sara que ce n'était pas Liam qui s'était le plus inquiété.

— Il ne fallait pas, répondit-elle en serrant le petit garçon contre elle. J'avais mon téléphone. J'aurais appelé si j'avais eu un problème.

— Et nous aurions certainement pu faire quelque chose à partir d'ici ! bougonna Flynn.

Sara se redressa, surprise. Il avait la mine sombre. Ses cheveux étaient hirsutes. Elle s'enhardit à lui tapoter le bras pour le rassurer.

Geste que Flynn interrompit en l'attirant contre lui, avant de l'embrasser durement, presque désespérément.

— Heureusement qu'il ne t'est rien arrivé, grommela-t-il. La prochaine fois, j'irai avec toi.

Sara ne discuta pas. A quoi bon ? Il ne serait pas là indéfiniment. Sa tournée promotionnelle débutait le lundi suivant. Son attaché de presse appelait sans cesse. Puis celle-ci achevée, Flynn se rendrait en Irlande où d'autres responsabilités l'attendaient.

Son séjour à Elmer touchait à sa fin. Et ils en avaient tous deux conscience.

Bonté divine ! Elle lui avait fait une de ces peurs ! Elle le ferait mourir, soit de frustration, soit d'inquiétude, se dit Flynn. Sa seule consolation était de voir Sara se détendre peu à peu en sa présence. Elle souriait davantage, était moins sur la défensive. Elle lui parlait de Liam bébé, de son travail, du reste de sa famille. Et elle commençait à le questionner.

Flynn ne voyait pas d'inconvénient à lui parler de son métier qui le passionnait. Parfois, comme cet après-midi justement, elle levait les yeux de ses comptes et l'observait en souriant, tandis qu'il était au téléphone avec Mme Upham, puis Doley, le régisseur de Dunmorey.

— Qu'y a-t-il ? Qu'est-ce qui t'amuse ? demanda-t-il en raccrochant.

— Tu es vraiment le châtelain, dit-elle, admirative. Quand

tu règles tes affaires en Irlande, tu prends ta voix de comte. Tu te tiens très droit, et tu es même un peu effrayant.

— Effrayant ? J'en suis désolé. J'aimerais mieux te faire rire.

Posant son téléphone, il contourna la table. Alors, parce qu'il y avait trop longtemps qu'il ne l'avait pas touchée et que c'était le seul moyen qu'il avait trouvé de s'approcher d'elle, il força Sara à se lever et commença à la chatouiller.

Sara se trémoussa en riant, ce qui eut pour effet d'émoustiller Flynn plus que jamais. Son propre rire se tarit dans sa gorge dans la chaleur de son désir. Et c'est tout naturellement qu'il glissa ses bras autour d'elle, l'attirant fermement pour l'embrasser avec avidité.

Presque aussitôt, il perçut sa réponse, sentit ses bras l'enlacer, ses lèvres s'ouvrir sous les siennes.

Ni l'un ni l'autre ne riaient plus. Ils s'étreignaient, s'embrassaient, pressés l'un contre l'autre. Flynn souleva le pull de la jeune femme et ses mains s'égarèrent sur son dos, caressèrent sa peau douce. Il prit conscience qu'à son tour elle tirait sur sa chemise et bientôt il savoura le contact de ses doigts le long de son échine. Cette simple caresse le fit frémir de plaisir.

— Sara…

Il déposa une pluie de baisers légers sur la courbe de son menton, puis le long de sa gorge. Ses mains rudes glissèrent plus bas sous la ceinture de son jean, passèrent outre l'élastique de son slip, pour caresser les galbes doux de ses fesses. Il la sentit se presser contre lui et son cœur bondit dans sa poitrine. Sa respiration devint anarchique. Il la désirait, il allait l'emporter dans sa chambre, la débarrasserait de ses vêtements contraignants et…

La porte s'ouvrit brutalement.

— Je suis rentré ! claironna Liam. Oh !

— Liam ! murmura Sara dans un souffle.

Elle ôta ses mains du dos de Flynn et s'écarta maladroitement de son étreinte. Le visage en feu, elle rajusta son pull en hâte, essayant de reprendre son souffle et de sourire à son fils par-dessus l'épaule de Flynn.

La chemise pendante, Flynn tournait le dos à Liam. Il avait besoin d'une bonne minute pour se ressaisir. D'un siècle, plutôt ! Il tremblait de tout son corps et respirait par à-coups. Et c'est à peine s'il réagit quand le téléphone se mit à sonner, pour la vingtième fois ce jour-là.

Ce fut Sara qui décrocha. Elle lui fourra l'appareil dans les mains.

— Va prendre cet appel dans le salon, lui suggéra-t-elle à voix basse.

Puis se tournant vers Liam :

— Comment s'est passée ta journée d'école ?

Flynn s'attendait à ce qu'elle l'évite après cet événement perturbant. Il prévoyait un retour à cette froideur qu'elle avait observée à son arrivée. Pourtant, même si elle semblait un peu sur ses gardes ce soir-là, elle ne lui fit pas de scène, pas plus qu'elle ne chercha à l'ignorer complètement.

Elle était un peu plus silencieuse au dîner, comme absente, ou distraite peut-être. Quand ils passèrent dans le salon après le repas, Flynn alluma un feu dans la cheminée et elle prit du linge à raccommoder, sans dire un mot. Malgré le bavardage de Liam, Flynn s'en inquiéta.

Dès que l'enfant fut couché, il eut la vague idée de s'excuser. Mais il n'avait rien à se faire pardonner, sauf peut-être d'avoir scandalisé leur fils. Encore qu'ils aient été deux à désirer ce baiser.

— Sara ?

— Je suis un peu fatiguée ce soir, répondit-elle en allant et venant dans la pièce, redressant au hasard quelques bibelots. Je pense que je vais aller me coucher tôt.

— Tu me fuis ?

— Non. J'ai… seulement besoin d'une bonne nuit de sommeil.

Elle ne le regardait pas, occupée à ranger une pile de magazines sur la table basse avec une précision exagérée.

— Sara, tout va bien ?

Elle acquiesça, le dos tourné.

— Bien sûr. Mais je dois me lever tôt. C'est bientôt la période des déclarations de revenus. Je vais recevoir beaucoup de monde. Les Jones seront ici dans la matinée.

Elle se tourna vers lui, lui adressa un sourire fugitif.

— D'accord, déclara-t-il. Je m'en vais.

Il était tenté de revenir vers elle et de l'embrasser, pour lui prouver que ce qui s'était passé entre eux n'était pas un hasard.

Il se ravisa, parce qu'à un moment de sa vie il avait dû apprendre la patience. Il survivrait. *Eireoidh Linn*, comme on disait chez lui.

Il ne put s'empêcher de sourire de l'à-propos. Finalement, il avait quelque chose en commun avec les comtes de Dunmorey.

Ce n'était pas d'une bonne nuit de sommeil dont elle avait besoin, pensa Sara, en fixant le plafond de sa chambre obscure… mais de Flynn. A l'instant où il était sorti, elle avait voulu le rappeler. Elle avait lutté contre elle-même toute la soirée, essayant de comprendre ce qui était arrivé, de réfléchir, d'analyser. Mais elle arrivait chaque fois à la même conclusion. Et cela n'avait pas de sens de continuer à se mentir.

Elle aimait Flynn Murray !

Sans doute l'avait-elle toujours aimé. Son corps était seulement plus honnête et plus audacieux que sa raison. Et après cette étreinte fiévreuse, elle voyait mal comment feindre l'indifférence. Si Liam n'était pas arrivé, elle savait où cela les aurait menés. Ici précisément, dans son lit.

Et cela aurait été autant son choix que celui de Flynn.

Demain peut-être, ils s'appartiendraient... Cette pensée se mit à danser dans son esprit, aussi tentante qu'un défi. Oui, demain, elle serait à lui !

Elle s'agita, serrant l'oreiller contre elle. Puis brusquement, le téléphone se mit à sonner. Elle décrocha l'appareil posé sur la table de nuit.

— Allô ?

— Bonsoir, c'est Flynn.

Sara sentit sa respiration se bloquer dans sa gorge, tandis qu'un élan de joie la submergeait.

— Je pensais justement... à toi, répondit-elle, haletante.

— Sara, je suis en route pour l'aéroport.

— Quoi ?

— La tournée de promotion devait commencer lundi. Mon éditeur vient de m'appeler. Ils ont réussi à obtenir un créneau à l'antenne. Je passerai demain sur la chaîne *US this Morning.*

— Où est papa ? demanda Liam le lendemain en trouvant sa mère seule dans la cuisine.

— Il a dû partir, lui expliqua Sara avec ménagement. Tu savais qu'il devait s'absenter.

— Il avait dit lundi ! protesta Liam.

— Il y a eu du changement.

— Il revient quand ?

Allait-il seulement revenir ? Elle l'avait pensé six ans plus tôt. Elle l'aurait même juré sur sa vie. Cette fois bien sûr, il avait dit qu'il reviendrait, il l'avait même promis haut et fort.

Elle gardait pourtant l'impression qu'il l'abandonnait une fois de plus.

— Pourquoi il ne m'a même pas dit au revoir ? s'entêta Liam.

Sara lui expliqua que son père allait passer à la télévision le matin même.

— Je peux regarder ? demanda le petit garçon avec espoir.

— Oui. Allons-y.

Debout derrière le fauteuil où Liam avait pris place, elle fixa l'écran, les mains crispées sur le dossier. Flynn apparut, le regard brillant, même après ce qui avait dû être pour lui une nuit blanche. Terriblement beau comme toujours, il charmait tout le monde, journalistes, public et aussi sans doute les millions de téléspectateurs qui devaient boire ses paroles, sensibles à son humour, à son sourire ravageur, à son irrésistible charisme. L'homme dont elle était tombée amoureuse dans le passé séduisait le monde entier, comme il l'avait séduite, elle.

— C'est tout ? s'exclama Liam quand l'émission prit fin.

— Il s'agit d'une brève interview pour donner aux gens un avant-goût du livre, expliqua Sara. Pour éveiller leur curiosité, si tu préfères.

Et elle était sûre que, de ce point de vue-là, Flynn n'avait pas de souci à se faire. Quant à elle, elle se demanda si sa propre curiosité serait jamais rassasiée.

— Quel est ton avis ?

— Je...

Sara semblait sous le choc, comme si elle ne s'attendait

pas à son appel. Comme si elle pensait qu'elle n'entendrait plus parler de lui.

« Tu te trompes, mon cœur », pensa Flynn.

Il l'appelait, parce qu'il avait enfin deux minutes à lui et qu'il s'était isolé dans le premier coin tranquille qu'il avait trouvé après avoir quitté le plateau de télévision. Il lui semblait qu'il s'était écoulé une éternité depuis qu'il lui avait téléphoné la veille, sur le trajet de l'aéroport.

Il n'avait pas voulu partir. Il venait de rentrer au motel, nerveux et inquiet au sujet de Sara, quand son portable avait sonné. En dépit de tout, il avait pensé que c'était elle, qu'elle l'appelait pour lui dire : *Reviens.*

C'était son attaché de presse. Celui-ci l'informait d'une émission dans la grille des programmes du lendemain. Flynn avait bien essayé de discuter. Ne pouvait-on pas proposer d'autres horaires ?

— Pas d'autre créneau de diffusion, mon vieux. Il faut que tu passes demain. Ce sera un formidable coup de projecteur !

Voilà pourquoi il se trouvait là, en coulisse. Mais son cœur était resté à Elmer, auprès de Sara.

— A moins que tu n'aies pas regardé la télé ? demanda-t-il à la jeune femme.

Mais il fut ravi de l'entendre répondre :

— J'ai… Nous avons regardé.

— Sara, je n'avais pas le choix. Sincèrement. Tant de choses dépendent de ce livre. Il faut que ce soit un succès. Pas seulement pour moi… Mais pour Dunmorey.

— Dunmorey ?

Il lui avait beaucoup parlé du château, sans aborder toutefois ses soucis financiers. Cela, c'était son problème, et celui de personne d'autre.

— Il y a beaucoup à faire là-bas, dit-il.

— Bien sûr.

Sa voix était plus faible. Etait-ce la ligne qui était mauvaise ou… ?

— J'essaie seulement de t'expliquer pourquoi j'ai dû agir de cette façon. Je ne voulais pas partir si brusquement.

— Tu fais ce que tu as à faire.

Il était en train de la perdre ! Il le percevait à sa voix.

— Sara !

— Tu étais très bon. Ecoute, je dois raccrocher. Les Jones vont arriver d'une minute à l'autre.

— Je te rappelle cet après-midi. Je pourrai bavarder avec Liam. Et avec toi.

Mais elle avait déjà raccroché.

Sara ne savait que penser. Flynn appelait tous les jours. Parfois même quand Liam n'était pas là.

— Il est à l'école, disait-elle chaque fois avec impatience. Tu le sais.

— Oui, répondait-il, amusé. C'est sans doute à toi que je désire parler.

Ils discutaient de Liam, évidemment. Puis il prenait des nouvelles du chat, de tante Célie, du reste de sa famille, avant de lui demander comment elle allait.

— Très bien, répondait invariablement Sara. Toujours très occupée.

Et c'était la stricte vérité. On était en mars, la période des déclarations de revenus.

— Tu me manques, dit soudain Flynn.

— Je…

Les mots restèrent bloqués dans la gorge de Sara. Elle avait passé trop d'années à nier ce qu'elle ressentait pour lui pour pouvoir dire ces mots-là. Et la seule soirée où elle s'était enfin sentie elle-même en sa compagnie avait tourné court.

— Allons, répète après moi : tu-me-manques, la pressa-t-il en riant.

Sara avait envie de rire et de pleurer.

— Oh ! Laisse-moi tranquille, Flynn Murray !

C'était grâce à eux qu'il conservait son équilibre, pensa Flynn. Liam et Sara.

Car il ne savait jamais dans quelle ville il se trouvait, ni à quelle émission il participait, et oubliait systématiquement le nom de ses interlocuteurs. Parce que son esprit était ailleurs, dans le Montana.

Toutes ses pensées étaient centrées sur un petit garçon sans qui il ne pouvait imaginer de vivre désormais. Et sur la mère de celui-ci, qu'il désirait plus que tout au monde, et dont la présence lui était plus vitale que la nourriture ou le sommeil. Ou même que cette place enviée dans les best-sellers du *New York Times* qu'il avait décrochée finalement.

Ce succès était infiniment agréable, mais Flynn pensait davantage à Sara.

Au téléphone, elle ne lui disait rien de personnel, parlant plus volontiers de choses anodines : des activités de Liam bien sûr, de Sid qu'ils avaient conduit chez le vétérinaire, de son beau-père, le mari de Polly, parti à Rome...

Flynn s'accrochait à chacun de ses mots qui lui donnaient l'impression d'être à Elmer avec elle.

Pour la garder plus longtemps au téléphone, et non parce qu'il accordait quelque importance à ces banalités, Flynn lui rapportait ce qu'il voyait à San Francisco, à Dallas, à La Nouvelle-Orléans ou à Chicago. Juste pour l'entendre rire.

— Je serai de retour dans un mois, lui annonça-t-il, un soir.

Et cela représentait encore une éternité. Puis le temps passa, il ne restait plus que trois semaines, puis deux. Il se mit à compter les jours, à faire des projets. Son éditeur lui fit part de sa satisfaction : son livre s'était si bien vendu qu'on allait en commander un second tirage. C'était une excellente nouvelle, bien sûr, mais la meilleure de toutes était qu'il allait rentrer enfin dans le Montana. Dans vingt-sept heures exactement !

C'est alors qu'il reçut un appel d'Irlande.

— La banque hésite pour le prêt au sujet du haras, dit la voix pressante de son frère Dev. Elle veut des garanties, des projets noir sur blanc.

— Tu n'as qu'à leur en montrer, décréta Flynn. Tu as tout ce qu'il faut pour les convaincre.

— Ils les ont déjà. Ce qu'ils veulent, ce sont des profits plus substantiels. Il y a trop de dettes. Dunmorey doit générer davantage de revenus.

— Comme si je ne le savais pas ! grommela Flynn.

— Monaghan veut s'entretenir avec toi personnellement.

— Dis-lui de m'appeler.

— Flynn, il tient à te rencontrer, insista Dev. Le rendez-vous est fixé à vendredi.

— Quoi ? Tu plaisantes ?

— Le financement ne sera pas accordé autrement, scanda son frère avec une note de désespoir. Ça lui est égal de savoir que le comte de Dunmorey me soutient. Il ne veut traiter qu'avec toi. Flynn, nous pouvons y arriver avec ce cheval, j'en suis sûr. Mais ça veut dire qu'il faut négocier avec la banque. Vendredi.

Flynn avait prévu d'être de retour à Elmer ce jour-là, et d'y séjourner quelque temps, pour profiter de son fils et faire la cour à Sara. La convaincre…

— Vendredi, le pressa Dev. Notre dernière chance ou nous sommes fichus.

Un ultimatum dont Flynn, hélas, comprenait trop bien l'enjeu.

— Je dois me rendre en Irlande, annonça-t-il.

Liam était suspendu à son bras. Lui et Sara étaient venus le chercher à l'aéroport et attendaient qu'il récupère ses bagages.

— Mais tu viens d'arriver ! s'exclama Liam en grimpant dans les bras de son père.

— Et je veux que vous veniez avec moi, cette fois, répondit Flynn en regardant Sara.

— Hourra ! lança le petit garçon.

— Quoi ? s'écria Sara, effarée. Quand ? Il n'en est pas question !

— Si. Je dois me rendre là-bas demain. Pour les affaires de Dunmorey et je ne pars pas sans vous.

— On pourra voir ton château ? demanda Liam, très excité.

— Non, impossible ! intervint Sara. C'est la période des impôts. J'ai des engagements par-dessus la tête.

— Mais, maman…

Flynn posa Liam à terre et lui indiqua le manège à bagages.

— Va voir si mon sac est déjà arrivé.

Le petit garçon fila. Sara restait immobile.

— Je n'ai pas le choix, Sara, déclara Flynn.

— Fais ce que tu dois faire, répondit-elle en croisant les bras. Ça m'est égal.

— Ecoute, il y a des téléphones, le fax, l'internet en Irlande. Tu pourras contacter tes clients, faire leur comptabilité.

— Je ne veux pas…

— Ne sois pas égoïste, Sara.

— Moi ? s'exclama-t-elle, furieuse de l'accusation.

— Tu te souviens de ce que tu m'as confié, un jour, à propos de la période la plus difficile de ta vie ? demanda Flynn.

Il la vit écarquiller les yeux de surprise. Puis elle prit un air méfiant.

— De quoi parles-tu ?

— Il y a six ans, tu m'as emmené voir le ranch où tu avais vécu, enfant. Et cette balançoire que ton père avait accrochée et la cabane qu'il avait construite pour toi dans l'arbre. Tu te rappelles ?

La gorge serrée, Sara acquiesça en silence.

— Tu m'as dit aussi que la mort de ton père avait été la période la plus sombre de ta vie, et qu'il t'avait terriblement manqué, poursuivit-il.

Sara sentit les larmes lui monter aux yeux. Le bruit et l'agitation qui régnaient dans le hall de l'aéroport s'estompèrent soudain. Oh oui ! Elle se souvenait de cette balançoire, de ses rires quand son père la poussait de plus en plus haut, de la maisonnette dans l'arbre qu'il avait construite pour elle et ses sœurs. Comme elle avait été fière de porter les planches ou le marteau pour lui ! Et son père l'avait félicitée, l'appelant « la meilleure fille du monde ».

Elle battit des paupières, les lèvres crispées.

— Bien sûr que je me souviens, dit-elle avec émotion. Où veux-tu en venir ?

— Tout ce que tu désirais alors, c'était une occasion d'être avec ton père. Mais il n'était plus là. Sara, laisse-moi vivre des moments semblables avec notre fils. Pourquoi refuses-tu à Liam ce que tu réclamais toi-même à son âge ? Donne-nous une chance. Venez avec moi, tous les deux.

8.

Il n'était plus temps de revenir en arrière.

L'avion allait atterrir. Liam, qui avait dormi une bonne partie du vol, était tout à fait réveillé à présent et regardait par le hublot, posant mille questions à la fois. Sara lui répondait d'un ton réservé. Elle n'avait presque pas dormi.

Flynn tâchait d'imaginer ce qui lui trottait dans la tête, ce qu'elle dirait en découvrant Dunmorey… et ce qui se passerait ensuite.

Il aurait préféré avoir plus de temps, rester dans le Montana et lui faire prendre doucement conscience que Liam et elle faisaient partie de sa vie, que leur place était auprès de lui.

Au fil des années, elle avait eu peu de raisons de lui faire confiance. Et à présent, elle en avait encore moins. Et s'il avait pensé avoir une chance de la convaincre dans le Montana, maintenant il avait l'impression de repartir de zéro avec elle et d'être dans la position la moins favorable pour cela.

Oh ! Liam serait enchanté, il n'avait aucun doute là-dessus. Visiter le château ancestral était une attraction qui aurait plu à n'importe quel enfant. Mais il n'y avait pas grand-chose à Dunmorey pour plaire à une jeune femme réticente. Le château était décrépi et humide…

Et bien sûr, comme d'habitude, il pleuvait !

— Ça ne s'arrêtera donc jamais ! maugréa-t-il au téléphone à l'adresse de Dev, tandis qu'ils attendaient l'avion pour Cork.

Liam tirait sa mère par la main vers la baie vitrée pour regarder les avions. Il bavardait avec animation, comme d'habitude, mais Sara ne disait mot.

Et Flynn n'aimait pas ça. Il voulait retrouver la Sara passionnément dévouée d'autrefois ou celle d'aujourd'hui, qui se hérissait parfois mais qui était par ailleurs si facile à vivre. Celle qui l'avait embrassé si passionnément dans la cuisine était loin de lui déplaire également.

A présent, elle était si différente, si calme qu'elle l'effrayait, le rendait fou. Comment réagirait-elle en voyant Dunmorey ? La pluie n'arrangerait rien.

— Nettoie partout où tu pourras, dit-il au téléphone à Dev. J'amène de la compagnie.

— Des invités ? Maintenant ? Tu ne choisis pas le meilleur moment, je te signale. Maman est en voyage et je suis accaparé par le nouveau cheval. Toi aussi, tu seras débordé. C'est qui, ces invités ?

Flynn ne lui avait encore rien dit au sujet de Sara ou de Liam. Dev s'était trouvé à Dubaï quand il était parti dans le Montana. Il n'avait pas voulu lui annoncer par téléphone qu'il avait un fils. C'était une nouvelle qu'il préférait lui révéler de vive voix après avoir rencontré Liam. Il lui avait seulement envoyé un courriel, disant qu'il se rendait aux Etats-Unis. Son frère savait que son dernier livre sortait sur le territoire américain, il n'y avait donc rien d'anormal à ce qu'il fasse le voyage.

Mais en revoyant Sara, Flynn avait changé ses projets. Il avait décidé de ne pas avertir Dev, tant qu'il n'aurait pas amené Liam et sa mère là où il le voulait. C'est-à-dire, dans sa vie pour toujours.

Du moins, c'était ce qu'il avait prévu de faire avant le coup de téléphone de son frère, trois jours plus tôt. Maintenant, il était impossible de se taire plus longtemps.

— Pas des invités, en fait, dit Flynn. Mon fils.

Il y eut un silence, puis Dev répondit :

— La communication est mauvaise, on dirait. Qu'est-ce que tu viens de dire ? J'ai compris « mon fils ».

— C'est juste.

— Fils ? répéta son frère, interloqué.

— Oui, il a cinq ans et il s'appelle Liam. Il ressemble… à Will, déclara Flynn, la gorge nouée.

— A Will ? Mais qui est-il ? Quand… ?

— Je t'expliquerai plus tard. Sa mère et lui m'accompagnent. Alors, mets de l'ordre, change de chemise et enlève les seaux. Pour le reste, on ne peut pas grand-chose.

Dev fit entendre un rire nerveux.

— Tout ce que vous voudrez, Monsieur le Comte.

— Oh ! Ça va.

Flynn raccrocha, puis plaqua sur ses traits une expression qui disait : je maîtrise parfaitement la situation. Si seulement c'était vrai !

— On appelle notre vol, papa ! cria Liam en s'élançant vers lui. Ça y est ! Nous partons voir ton château !

Flynn le souleva dans ses bras, en espérant que tout se passerait comme Liam semblait prêt à le croire.

— Désolé pour la pluie, dit-il à Sara avec un haussement d'épaules fataliste. C'est l'Irlande.

— Aucun problème. C'est meilleur pour ma peau que le vent et le froid du Montana.

Le ton était réservé, trop poli. Mais au moins elle ne s'opposait pas à lui. Il espérait que c'était bon signe.

Des passagers se tournaient dans leur direction en souriant et Sara commanda à Liam de se calmer.

— Il est surexcité, dit Flynn avec indulgence.

Mais en embarquant, il se rendit compte qu'il n'était pas moins nerveux que son fils.

Ce n'était pas un château comme on les représentait dans les contes de fées. C'était beaucoup mieux que ça. Non que Sara souhaitât tomber sous le charme de cet endroit auquel elle était résolue à rester indifférente. Mais comment résister à Dunmorey ?

Elle n'avait certainement pas envisagé que sa masse sombre s'adosserait au flanc d'une colline, tapie dans la verdure comme un énorme animal, figé et dantesque à travers le rideau de pluie. Dominé par une haute tour bizarrement excentrée, le château donnait l'impression de résister formidablement au temps.

Sara fut immédiatement conquise. En même temps, elle comprenait mieux les raisons de ces coups de téléphone auxquels Flynn tenait impérativement à répondre. Etre le comte de Dunmorey ne consistait pas seulement à organiser des réceptions ou des parties de chasse. Les responsabilités que représentait la gestion d'un tel édifice étaient propres à décourager le plus déterminé des hommes. Sans compter la ferme qu'ils venaient de dépasser, la rivière et les maisons alentour. Tout était la responsabilité de Flynn.

— Oh ! Il y a des douves ! s'exclama Liam en montrant le fossé qu'ils franchissaient. Tu disais qu'il n'y en avait pas !

— Ça ? J'ai toujours cru que c'était un fossé d'écoulement.

Son ton amusé fit sourire Sara.

— Ça dépend de celui qui regarde, dit-elle. Tout est si beau ici.

Et elle était sincère. Les collines moutonnantes, les haies, les arbres immenses... La nature était si luxuriante, si verte, si vivante, alors qu'au Montana, le printemps tardait encore à venir.

— Tu trouves ? s'enquit Flynn, sceptique.

Sara avait remarqué qu'il était plus silencieux et plus nerveux depuis Cork. Et plus ils approchaient de Dunmorey, moins Flynn parlait.

Regrettait-il de les avoir amenés en Irlande ? Non, il s'était donné trop de mal pour la convaincre qu'il ne voulait pas seulement emmener Liam. Qu'il la voulait aussi auprès de lui.

— Du reste, avait-il ajouté, la mine sombre, il faudra que tu voies Dunmorey un jour ou l'autre.

Sans comprendre ce qu'il entendait par là, elle était venue, cédant à son chantage affectif. Et pas seulement pour ne pas priver Liam de son père. Elle était venue, espérant mieux connaître l'homme qu'elle aimait, en dépit de sa raison.

Dans ses moments d'optimisme, elle osait croire qu'il existait quelque chose de réel, de sincère entre eux. Quelque chose qui allait au-delà du désir physique que Flynn ressentait et qu'elle-même ne pouvait plus nier.

Pourtant, elle hésitait encore.

— J'aimerais dire que le château n'est pas en aussi mauvais état qu'il en a l'air, dit Flynn, la ramenant au présent, tandis que la voiture remontait l'allée gravillonnée. Mais ce serait mentir. L'intérieur est pire. Et le tout n'est plus là pour longtemps.

Il parlait d'un ton léger, mais une aigreur sous-jacente alerta Sara et elle se tourna vers lui, intriguée.

— Comment ça, plus pour longtemps ? demanda-t-elle comme Flynn empruntait le dernier virage et garait la voiture de location devant le perron.

Liam ouvrait déjà la portière et levait les yeux sur l'immense façade.

— Woaw ! s'exclama-t-il, ébahi.

Puis il se mit à courir en tous sens, avide de tout voir. La pluie redoublait et il était trempé.

— Nous ferions mieux de le mettre à l'abri.

Sara n'était pas de cet avis.

— Laisse-le courir. Il est resté trop longtemps inactif dans l'avion. Il séchera vite.

— Ne compte pas trop là-dessus, marmonna Flynn sur le ton de la dérision.

Il descendit et Sara le suivit à l'arrière de la voiture.

— Pourquoi ne pourrais-tu pas garder longtemps le château ? demanda-t-elle comme il sortait les bagages du coffre.

— C'est un gouffre financier. Les dépenses de restauration sont énormes depuis de nombreuses années. J'essaie de réinvestir et d'en tirer le meilleur profit, mais la ferme produit ce qu'elle peut et l'étalon coûte cher. Ça marchera à la longue. Malheureusement, à ce moment-là, il se peut que j'aie déjà vendu le château. Que veux-tu ? C'est comme d'essayer de maintenir en vie un dinosaure.

— Mais il appartient à ta famille depuis trois cents ans ! protesta Sara.

— Et je pourrais bien être le premier à le perdre, dit Flynn avec lassitude. Je n'ai pas dit que l'idée me plaisait.

Elle jeta un regard en direction de Liam qui essayait d'escalader un rempart en granit.

— C'est un endroit splendide pour des enfants.

— C'est quand on grandit qu'il pose problème, dit Flynn.

— Je comprends. Pourtant, il a tellement de charme.

— Du charme ? Attends de l'avoir visité, répondit-il avec une sorte de ricanement.

Cela ressemblait plus à un avertissement qu'à une promesse. Avant que Sara ait pu répondre à cela, la porte d'entrée s'ouvrit et un homme sortit en souriant.

— Dev, mon jeune frère, dit Flynn. Dev, voici Sara qui est… la mère de Liam.

D'un mouvement de tête, il désigna le petit garçon qui courait au loin.

Dev regarda la petite silhouette et sursauta.

— Ma parole ! On dirait Will.

Flynn acquiesça.

— Attends de le rencontrer.

Mais son frère se tournait déjà vers Sara. Son sourire s'élargit.

— Liam a une très jolie maman.

Il jeta à la jeune femme un regard appréciateur avant de lui serrer la main. Puis il l'entraîna dans le hall, laissant Flynn porter les bagages.

— Ravie de vous connaître…, commença Sara.

Elle s'arrêta net en pénétrant dans un hall orné de tentures, de piliers de marbre et d'un miroir de la taille d'un lac !

Elle regarda autour d'elle, subjuguée. Elle vit son reflet dans le miroir. Elle paraissait minuscule, insignifiante et… mouillée.

— Immense, n'est-ce pas ? Il a été mis là pour rendre la pièce plus grande.

Plus grande ? Elle aurait contenu la moitié de sa maison !

— Je devrais enlever mes chaussures, dit-elle, soudain gênée.

— Oh ! Surtout pas. Vous allez vous mouiller les pieds.

Elle le regarda, intriguée.

— Le toit fuit, expliqua-t-il. Pas ici, mais partout à l'étage. Les tapis sont gorgés d'eau. Gardez vos chaussures. Par ici, indiqua-t-il en ouvrant une porte colossale. J'ai allumé du feu dans le salon bleu.

Parce qu'il y en avait beaucoup d'autres ? se demanda-t-elle nerveusement.

Ils suivirent un corridor, le long duquel s'alignaient des portraits d'hommes et de femmes qui avaient les traits des Murray. Ils semblaient la fixer avec dédain et Sara ne put réprimer un frisson.

— Je comprends mieux pourquoi Flynn a passé tant de temps aux Etats-Unis, dit Dev.

— Oui, la tournée de promotion de son livre a été longue...

— Et il avait d'autres motivations, acheva-t-il en souriant.

— Je sais que vous aviez besoin de lui ici, s'excusa Sara.

— Il est le comte, mais il a droit à une vie privée. Venez vous asseoir, dit-il en indiquant un fauteuil de cuir.

Sara balayait du regard les murs tapissés de bleu, les tentures de soie, les antiquités. Tout était absolument formel, imposant, historique.

— Je vais crier à Daisy de faire du thé en vitesse, la prévint-il.

Et sous l'œil éberlué de Sara, il sortit dans le hall et se mit à hurler un ordre. Une voix de femme cria en retour :

— Débrouillez-vous !

Dev se mit à rire.

— C'est Daisy, notre cuisinière et femme de chambre. Elle dit toujours qu'elle est débordée. Elle est sans doute en train de préparer vos chambres.

Sara se sentait de plus en plus mal à l'aise d'imposer sa présence et celle de son fils.

— Oh ! Elle n'a pas besoin..., commença-t-elle.

— C'est son travail, coupa le frère de Flynn. Je vais donc faire le thé. Vous pouvez rester ici ou descendre dans la cuisine avec moi.

— Je... Je ferais mieux d'aider Flynn avec les bagages ou d'aller chercher Liam.

— Flynn s'en sortira et surveillera le petit. Vous venez ? J'espère que vous aimez les chiens, dit-il en entraînant Sara.

Trois jeunes épagneuls et le plus grand chien-loup irlandais que Sara eût jamais vu apparurent.

— Fichez le camp ! ordonna Dev en les repoussant.

Escortée par toute la meute, Sara le suivit le long d'un autre corridor, embrassant au passage le décor moins formel. Dans cette partie du château, les sombres portraits avaient cédé la place à des aquarelles.

— Nous y sommes, l'informa Dev.

La cuisine aurait pu contenir sa maison ! constata Sara. La cheminée était colossale — sans doute y faisait-on rôtir des bœufs entiers autrefois ! Sinon, la pièce était pourvue de tout l'équipement ménager moderne.

Dev brancha la bouilloire.

— Je me sens confuse de vous déranger à ce point. Apparemment, vous ne nous attendiez pas, s'excusa Sara.

— Je ne connaissais même pas votre existence.

— Oh ! Vous ne saviez pas au sujet de Liam ? s'étonna-t-elle.

— Pas avant que Flynn n'appelle ce matin. Désolé, je n'aurais pas dû dire ça, se reprit-il. Comme je l'ai déjà dit, il a droit à une vie privée. Mais c'est une merveilleuse nouvelle.

Sara ne savait que penser. Pourquoi Flynn n'avait-il rien dit ?

Mais Dev avait une opinion sur la question.

— Il a toujours été secret et tient à se débrouiller seul. Raison pour laquelle c'est si difficile pour lui d'endosser la charge de Dunmorey. Notre mère pense qu'il a besoin d'une femme. Sincèrement, vous êtes la meilleure chose qui lui soit arrivée depuis… toujours.

Sara s'empourpra.

— C'est ridicule. Vous ne me connaissez même pas.

— Je connais mon frère. S'il vous a amenée ici, c'est que vous lui êtes chère. Et je lui trouve bonne mine. Il ne s'est pas porté aussi bien depuis des siècles.

Sara avait envie de lui poser mille questions. Elle se ravisa en entendant les pas de Flynn et de Liam dans le hall.

— Maman ! J'ai vu un poisson gros comme ça ! s'exclama Liam en écartant les bras autant qu'il put. Et un énorme chien ! Tu l'as vu ? Il s'appelle O'Mally. Papa a dit qu'il pouvait dormir avec moi.

— Tu crois que… ? hésita Sara.

Flynn haussa les épaules.

— Pourquoi pas ? Il dort bien avec Sid.

— Il y a quand même une différence de cinquante kilos, objecta-t-elle.

— J'ai pensé qu'il serait une bonne compagnie pour Liam. Il lui permettra de se sentir chez lui.

— C'est cool, hein ? reprit Liam. Et tu as vu les seaux ?

— Quels seaux ? s'étonna-t-elle.

— A l'étage. Nous avons monté les bagages, papa et moi. J'ai rencontré Daisy et il y a plein de seaux pour la pluie !

— Nous allons bientôt faire installer un nouveau toit, assura Flynn, embarrassé.

Dev, en revanche, était tout sourires. Il versa le thé et prépara une assiette de biscuits à l'intention de Liam.

— Raconte-moi d'où tu viens, demanda-t-il au petit garçon.

— Du Montana.

Flynn expliqua à son frère ce qu'il avait besoin de savoir au sujet de son fils.

Sara ne disait presque rien, laissant la conversation l'envelopper. Elle avait du mal à imaginer Flynn dans son rôle de comte. La tâche était immense, écrasante…

— Tu as besoin de repos, lui dit-il brusquement. Je vais te montrer ta chambre et tu pourras faire une sieste.

— Pas moi ! protesta aussitôt Liam.

— Non, pas toi, déclara Dev en riant. J'emmène Monsieur Energie jusqu'aux écuries.

Liam se mit à sautiller sur place.

— Est-ce qu'O'Mally peut venir ?

— Bien sûr. Je garderai un œil sur lui, glissa-t-il à l'adresse de Sara.

Le bras passé autour du cou du chien, qui était presque aussi haut que lui, Liam emboîta le pas à Dev.

Après leur départ, le silence retomba et Sara regarda autour d'elle.

— C'est si beau chez toi.

— Beau ? Un vrai désastre, oui ! répondit Flynn. Comme tu peux le voir, ça a bien besoin de réparations.

Il fit un geste large qui embrassait le château tout entier.

— Je devrais peut-être y mettre le feu, poursuivit-il avec amertume. Encore que c'est tellement humide que ça ne brûlerait même pas, je parie !

— Et ça te crèverait le cœur d'en arriver là.

— Tu as raison. Sara, j'aimerais te faire visiter, mais j'ai à rédiger ce satané projet que mon frère et moi allons présenter à la banque demain. Donc, je vais juste te conduire à ta chambre pour l'instant et tu pourras te reposer.

Il ouvrit une porte et lui fit signe de le suivre.

— Si je peux faire quoi que ce soit pour t'aider…, commença-t-elle.

— Merci, mais c'est mon problème.

Sara ne put s'empêcher de noter qu'il prenait sa voix de châtelain.

Flynn esquissa une moue en tentant d'imaginer les impressions de la jeune femme. Tous ces portraits sinistres, les tapis défraîchis, la peinture qui s'écaillait, les seaux un peu partout…

Il avait beau y être habitué, il trouvait ce spectacle affligeant. Le château semblait si dénué d'âme. Pas vraiment l'idée qu'on se faisait d'un nid douillet.

Quand il pensait à un intérieur chaleureux, c'était la maison de Sara qu'il évoquait.

Il la conduisit à la chambre, où heureusement il n'y avait que deux seaux — vides pour l'instant. Un feu brûlait dans la cheminée, réchauffant l'atmosphère glaciale. Merci, Daisy !

Sara gardait le silence.

— Je sais, s'excusa-t-il gauchement. Ce n'est pas… exactement ce à quoi tu es habituée. J'espère que tu seras… à l'aise ici malgré tout. A plus tard.

Il s'apprêtait à quitter la chambre quand elle le rappela. Surpris et heureux, il fit volte-face.

— Oui ?

— Toi aussi, tu as l'air fatigué, Flynn. Tu devrais faire une sieste.

Elle s'empourpra violemment, en comprenant l'ambiguïté de ses paroles.

— L'idée est bonne, mais je n'ai pas le temps, répondit-il avec un soupir de lassitude.

Pourtant, il ne demandait pas mieux que de s'endormir en tenant Sara dans ses bras. S'il n'y avait pas eu ce fichu projet de financement…

Il alla s'enfermer dans son bureau et se mit au travail.

Deux heures plus tard, il fixait d'un regard vide la fenêtre battue par la pluie. Il fallait se rendre à l'évidence : il perdait son temps ! Ses espoirs et ses rêves n'étaient que chimères.

A l'automne dernier, l'achat de l'étalon avait paru un bon investissement. En février, quand il s'était envolé pour Elmer, il avait cru qu'ils s'en sortiraient — qu'ils pourraient avoir le cheval *et* garder Dunmorey.

Aujourd'hui, il devait enfin voir la réalité en face. Ce serait l'un ou l'autre, le château ou l'étalon. Et comme l'avenir ne se trouvait pas dans une ruine dégoulinante, il faudrait se résoudre à vendre Dunmorey. Huit comtes avant lui avaient assumé la tâche. Il serait celui qui mordrait la poussière…

Et Sara dans tout ça ? Même si elle était polie et réservée, elle avait l'air désemparée la plupart du temps. La forcer à venir en Irlande avait été une erreur. Il avait agi trop vite. Si Liam était enthousiasmé par le château, les écuries — et même les douves ! — Sara avait avant tout les pieds sur terre. Elle prenait Dunmorey pour ce qu'il était : un tas de pierres moisies qui conservait l'écho du passé et n'avait rien à offrir à l'avenir.

En tant qu'expert-comptable, elle partageait l'opinion du banquier, tandis que Dev et lui étaient aveuglés par le fait d'y avoir grandi. Pas plus que Liam, ils ne voyaient la réalité.

Même leur mère était plus réaliste. Après la mort de son mari, elle avait répété à Flynn que s'il voulait garder Dunmorey, il lui faudrait faire un mariage d'argent.

— C'est ce que ton père a fait, lui rappelait-elle sans cesse.

Il avait déjà trouvé la femme qu'il désirait : Sara. Et voilà qu'il l'avait invitée pour assister à sa défaite.

Sara ouvrit les yeux. En découvrant l'impressionnant lit à colonnes dans lequel elle était couchée, le grand bureau ministre de bois sombre et les bergères de chaque côté de la cheminée, elle se crut encore prisonnière d'un rêve.

Puis la mémoire lui revint. Se glissant hors du lit, elle alluma une lampe et fouilla dans sa valise à la recherche d'un jean propre et d'un pull. Elle les enfila rapidement, car le feu s'était éteint et la chambre était glaciale.

Elle s'était endormie aussitôt, et maintenant il était... Elle consulta sa montre. Presque 18 heures ? Seigneur ! Elle avait laissé Liam à la garde de Dev tout l'après-midi !

Comme elle mettait ses chaussures, elle nota qu'un message avait été glissé sous la porte. Elle le ramassa et reconnut l'écriture anguleuse de Flynn.

Liam dort dans la chambre voisine de la tienne. Ne t'inquiète pas. J'ai laissé une lampe allumée. La ficelle par terre le guidera jusqu'au rez-de-chaussée.

Rassurée, elle laissa échapper un profond soupir. Elle prit le temps de faire un brin de toilette, puis sortit dans le corridor, se demandant dans laquelle des chambres contiguës Liam se trouvait. La ficelle qui disparaissait sous une des portes la renseigna. Elle ouvrit le battant avec précaution.

A la faible lueur de la lampe, elle distingua Liam, enfoui sous un édredon au milieu d'un lit gigantesque. Auprès de lui, était étendue la masse énorme d'O'Mally. A l'approche de Sara, il ouvrit un œil et battit de la queue.

Liam dormait, les cheveux ébouriffés, un bras serré autour de sa peluche préférée. Il était pressé contre le dos d'O'Mally. Ils étaient déjà inséparables.

Sara sourit et l'embrassa très doucement sur la tempe. Le petit garçon esquissa un sourire dans son sommeil. Il avait la bouche de son père, de ses ancêtres irlandais. Pour lui, Sara était contente d'avoir entrepris ce voyage.

Et pour elle-même ? C'était certainement... une expérience.

Elle couvrit Liam et caressa la tête du chien. Au moment de se retirer, elle vit le mot scotché sur la poignée de la porte.

Liam,

En suivant la ficelle, tu me trouveras.

Je t'embrasse, papa.

Au moins, elle n'avait aucun doute sur l'amour que Flynn portait à son fils. Elle en était heureuse pour Liam.

Elle n'eut pas besoin de suivre la ficelle. En descendant l'escalier, elle perçut des éclats de voix provenant d'une des pièces du rez-de-chaussée. Flynn s'exprimait dans un flot de paroles véhémentes dont Sara saisit quelques bribes : *Dunmorey... Vendre... Ne fait pas le compte...*

Puis la voix de Dev s'éleva, reconnaissable à ses inflexions irlandaises plus prononcées. Il était question de paddocks, de box et de revenus futurs.

La réponse de Flynn fut cinglante.

— Il n'y aura pas de rentrées d'argent, à moins de vendre ! Bon sang de bonsoir ! C'est ce que je me tue à t'expliquer !

Sara s'éloigna, ne voulant pas écouter aux portes et encore moins arriver au beau milieu d'une querelle familiale.

Traversant le hall, elle se réfugia dans la première pièce venue, une salle à manger élégante et formelle. Celle-ci renfermait une très longue table supportant des candélabres d'argent. Il était facile d'imaginer les aristocrates d'autrefois festoyant dans cette salle.

Comme les deux frères continuaient de se disputer, elle poursuivit sa visite et découvrit ainsi une salle de billard, un salon — jaune celui-là —, une salle de musique et un boudoir rempli d'antiquités qu'elle devina être celui de la mère de Flynn. Sans trop savoir pourquoi, elle était soulagée que celle-ci fût absente pour le moment. Elle se hâta de sortir de la pièce chargée d'histoire.

Par ailleurs, Sara constata que bon nombre de salles étaient laissées à l'abandon. L'entretien du château représentait une tâche énorme que Daisy ne pouvait assumer seule, c'était évident.

Elle se dirigeait vers la cuisine avec l'intention de se faire une tasse de thé quand elle entendit crier :

— Tu peux toujours courir pour que je te demande de vendre !

Un violent claquement de porte ponctua cette imprécation.

La jeune femme se faufila dans la cuisine. Elle branchait la bouilloire quand Dev entra. Il s'arrêta net en la voyant.

— Oh ! Vous êtes réveillée ? Je parie que c'est nous qui vous avons tirée du sommeil à crier de la sorte ?

— Non... Voulez-vous du thé ? offrit Sara.

— Ce n'est pas de refus, même si je préférerais quelque chose de plus fort. Quelle fichue tête de mule, votre homme !

— Ce n'est pas..., voulut-elle rectifier.

Mais Dev poursuivit sur sa lancée :

— Comme si j'allais exiger qu'il vende cette vieille baraque pour financer les écuries !

— C'est ce qu'il compte faire ? s'enquit-elle, alarmée.

— Ça le tuerait, à cause du vieux. Il doit bien y avoir un autre moyen !

— A cause du vieux ? répéta Sara sans comprendre.

— Notre cher et tendre père ! énonça-t-il avec amertume. Jamais il n'a montré à Flynn le respect qu'il méritait. Il le tenait responsable de la mort de Will. Il n'arrêtait pas de dire qu'il n'était qu'un zéro, jamais à la hauteur.

Sara laissa échapper une exclamation d'effroi.

— Comment pouvait-il penser une chose pareille ?

Dev haussa les épaules.

— Il était comme ça. Maintenant, Flynn est devenu comte et fait de son mieux pour prouver que le vieux avait tort. Je pourrais l'aider en entraînant l'étalon. Seulement je n'imaginais pas que ça coûterait autant. Et pour lui, la seule façon de financer l'entretien du cheval, c'est de vendre !

Sara finit de préparer le thé — à défaut de trouver une bouteille de whisky, car il était clair que c'était ce dont il avait besoin — et remplit trois tasses.

— Bon courage, si vous voulez aller lui en porter une, dit-il. Encore qu'il ne se comportera peut-être pas comme un idiot avec vous.

Sara espérait qu'il disait vrai. Mais même si Flynn était d'humeur massacrante, elle venait de comprendre beaucoup de choses. Les pressions qui pesaient sur lui, et tous ces coups de téléphone qu'il avait reçus à Elmer et qui soudain prenaient tout leur sens. Maintenant qu'elle savait tout cela, elle l'admirait d'être resté si longtemps auprès d'elle et de Liam.

Elle porta le plateau jusque dans le hall et frappa à la porte à travers laquelle elle avait entendu les bruits de dispute. D'abord, elle n'obtint pas de réponse et pensa qu'il s'était absenté. Puis elle perçut le grincement d'une chaise et la voix maussade de Flynn s'éleva :

— Tu as peur d'entrer ou quoi ?

Maintenant le plateau d'une main, Sara ouvrit la porte.

— Non. Je t'apporte une tasse de thé.

Il se leva aussitôt et traversa la pièce pour la décharger de son fardeau.

— Je pensais que c'était Dev, désolé.

— Je suis contente de ne pas être ton frère, dit-elle en refermant la porte.

Flynn ébaucha une grimace.

— Tu as entendu ?

— En partie. Je suis allée dans la cuisine faire du thé et Dev est entré. Il est très contrarié.

— Pourquoi ? Il a ce qu'il veut !

— Il trouve que c'est un trop grand sacrifice.

— Parce qu'il t'a tout raconté ? Bravo !

— Il s'inquiète pour toi, Flynn.

Il laissa échapper un rire amer.

— C'est inutile. Je survivrai. *Eireoidh Linn.* Telle est la fichue devise de la famille !

Il se mit à arpenter la pièce et Sara jugea préférable de s'asseoir dans un fauteuil près de la cheminée.

— Survivre, oui. Mais ton frère ne semble pas le vouloir au prix de Dunmorey.

— Et comment diable veut-il s'y prendre pour garder ses chevaux ? Ils sont un potentiel lucratif, eux, alors que le château…

— Le château l'est tout autant.

Il la regarda avec stupéfaction.

— Qu'est-ce que tu viens de dire ?

— Je dis que le château peut rapporter de l'argent.

Cette fois, Flynn partit d'un rire incrédule.

— Tu divagues ! C'est un gouffre, au contraire ! Et la nouvelle toiture dont je t'ai parlé n'est qu'un problème parmi d'autres.

— Mais le château présente aussi tant de possibilités ! insista Sara.

— Va dire ça à la banque !

— Si c'est ce que tu veux, je le ferai.

Leurs regards s'accrochèrent. Sara était consciente d'aller trop loin. Cette affaire de famille ne la concernait en rien. Pourtant, ce qu'elle disait était absolument vrai et elle n'en démordrait pas.

Flynn se passa une main dans les cheveux.

— Ecoute, Sara, tu es pleine de bonnes intentions. Mais même mon père qui ne vivait que pour Dunmorey savait qu'un jour ou l'autre il faudrait s'en défaire, que ce n'était qu'une question de temps.

— Alors, ton père manquait singulièrement de perspicacité.

Flynn s'immobilisa, sidéré. A voir son expression, Sara se demanda si quelqu'un avait jamais osé critiquer le vieux comte. Profitant de l'étonnement de Flynn, elle continua sur sa lancée.

— Tu es tellement habitué à ce château que tu ne mesures pas la richesse que tu as là.

— Au contraire, je sais exactement ce qu'il vaut. Sous peu, il tombera en ruine !

— Seulement si tu le laisses à l'abandon, répliqua-t-elle en se levant, éprouvant soudain le besoin de bouger. Il y a ces siècles d'histoire qui y sont attachés et dont tu as raconté quelques épisodes à Liam. Et cet environnement splendide de bois et de landes… Splendide, j'insiste. Les bâtiments sont en piteux état, mais sincèrement, Flynn, c'est un lieu magique, exactement comme Liam le pensait. Un lieu qui a besoin d'entretien, d'amour…

— D'argent, lui opposa-t-il.

— Et quel roman est placé en tête des best-sellers actuellement ?

— Les banques ne s'intéressent pas à ces succès-là.

— Pas sûr. Tu représentes une garantie solide maintenant. Et si tu remeublais certaines salles, tu pourrais transformer Dunmorey en centre de conférences ou de séjour. Il y a cette salle à manger immense… J'ai fureté un peu pendant que Dev et toi vous… bavardiez, s'excusa-t-elle. Cette pièce serait idéale pour des séminaires, des banquets. Avez-vous essayé ?

— Mon père aurait préféré mourir plutôt que de voir ça.

— Justement, ton père est mort. Et c'est à toi de jouer.

Sara s'enflammait au fur et à mesure qu'elle développait son plan.

— Tu pourrais aménager une partie du château en chambres d'hôtes. Pense à tous les touristes qui aimeraient prendre un petit déjeuner de rollmops en compagnie du châtelain…

— Nous ne mangeons pas de harengs, Sara, coupa Flynn, maussade.

Mais Sara était trop remontée pour s'arrêter à cela.

— Et pourquoi ne pas organiser des week-ends à thème et inviter des historiens qui feraient ici des conférences sur l'architecture ou la vie du château ? Il existe tant de possibilités, Flynn. Ce château est ta meilleure ressource. Tu ne peux pas le vendre !

— Et je ne peux pas financer son entretien non plus, s'obstina-t-il.

Sara se laissa tomber dans le fauteuil.

— Tu as raison. Laisse tout tomber, dit-elle en adoptant un ton léger. Liam l'a vu, nous pouvons rentrer demain.

Leurs regards s'accrochèrent de nouveau — le défi et la fureur face à face. Dans le silence qui se prolongeait, elle devina que Flynn luttait contre lui-même à présent.

— Autrefois, tu étais une jeune fille adorable, murmura-t-il enfin. Je te reconnais à peine, Sara. Que s'est-il passé ?

Elle lui adressa un sourire énigmatique.

— Je t'ai rencontré. J'ai eu Liam. J'ai grandi.

9.

— Qu'est-ce que tu suggères ?

Adossé à la bibliothèque, Flynn tâchait d'être plus calme et plus maître de la situation qu'il ne l'était. Mais c'était plus qu'exaspérant de voir Sara reprendre le rôle de son obstiné de frère ! Surtout, il ne comprenait pas pourquoi elle énonçait toutes ces idées ni où elle allait les chercher. Elle ne pouvait pas apprécier Dunmorey.

— Je te conseille de ne pas prendre de décision radicale, comme de songer à vendre, avant d'avoir testé quelques-unes de ces hypothèses, déclara-t-elle.

— Et je fais ça comment ? dit-il avec impatience. Nous allons à la banque demain. Si nous voulons obtenir une subvention, nous devons présenter un dossier montrant comment nous comptons rentabiliser le domaine.

— Fais-le. Montre au banquier un projet de chambres d'hôtes, de visites touristiques et le reste.

Seigneur ! C'était tentant.

Et elle aussi. Sara dans un de ses accès d'enthousiasme, c'était une merveille. Ses joues enflammées, ses yeux brillants, son corps frémissant... Elle parlait avec feu, comme six ans plus tôt quand elle lui avait fait part de son désir de devenir médecin. Malgré lui, Flynn sentait qu'elle lui insufflait un peu de sa fougue. Pourtant, il craignait de se faire des illusions.

— Pourquoi est-ce si important pour toi ? demanda-t-il.

Sara hésita et il pensa qu'elle hausserait les épaules et changerait de sujet. Mais il se trompait.

— Parce que ça l'est pour toi, dit-elle en le regardant au fond des yeux.

C'était la vérité. Celle qu'elle avait été sur le point de lui avouer à Elmer, le soir où il était parti pour New York. Depuis, il les avait amenés ici, en Irlande. Comprenant mieux son attachement à Dunmorey, elle était prête à faire son possible pour l'aider à sauver le château.

— Ecoute, poursuivit-elle comme Flynn ne répondait pas, je pense que je peux t'aider. En tant que comptable, je sais aussi dresser des plans de développement. Les propriétaires de ranch, c'est bien connu, courent toujours après de nouveaux prêts et j'ai l'habitude de travailler avec eux. Je sais, les ranchs n'ont rien à voir avec les châteaux, mais leur gestion aussi coûte cher. Il faut présenter des projets créatifs. Je peux préparer ton plan… si tu veux.

Flynn continuait de la sonder d'un regard indéchiffrable et Sara sut qu'elle était allée trop loin.

— Désolée, oublie ça, dit-elle vivement. Je n'aurais pas dû intervenir. Ce ne sont pas mes affaires.

Flynn réagit enfin. Sans la quitter des yeux, il déclara :

— Je pense tout le contraire. Bonté divine ! Sara, j'espère que tu as raison. Ramenons Dev ici et discutons ensemble…

Ils parlèrent une grande partie de la nuit, jetant des idées pêle-mêle. L'enthousiasme de Sara était communicatif et Flynn approuvait un grand nombre de ses idées, depuis les tours de poney pour les enfants jusqu'au chantier de bénévoles pour la restauration du château. Il voyait tout le potentiel à tirer de ces initiatives, sentait l'énergie grandir.

La seule chose à laquelle il s'opposa fut les colloques d'écrivains.

— Les auteurs viendront et seront en adoration devant toi, affirma Sara en souriant.

— Ne dis pas de sottises.

Mais Dev ordonna :

— Note ça, Flynn.

Vers le milieu de la nuit, Liam s'éveilla et, suivant la ficelle, O'Mally sur les talons, il poussa la porte du bureau.

— Qu'est-ce que vous faites ? Pourquoi il fait si noir ? demanda-t-il, les yeux écarquillés.

— Parce qu'il est 3 heures du matin, bonhomme, répondit Dev.

— Alors, pourquoi j'ai faim ?

— Parce que le dîner est passé et que nous t'avons laissé dormir, dit Sara. Je peux aller lui préparer quelque chose ? demanda-t-elle à Flynn.

Flynn se leva.

— Reste là et continuez tous les deux à réfléchir aux aménagements nécessaires pour accueillir les chevaux. Liam et moi allons préparer à manger.

Il prit l'enfant par la main et, au moment de franchir la porte, fit un signe à Sara pour l'encourager.

Car il retrouvait son optimisme. C'est tout juste s'il ne se mit pas à danser dans le hall, mauvaise jambe ou pas. Sara s'impliquait ! Elle ne détestait pas Dunmorey !

Avec Liam, il prépara du thé, des sandwichs et empila des biscuits sur une assiette. Puis ils retournèrent dans le bureau. Flynn vit Sara lever la tête et lui adresser un sourire radieux. Il en eut le souffle coupé.

— Je pense que ça ira, dit-elle. Laisse-moi taper cela et tu pourras le présenter demain. Je ne crois pas qu'on t'opposera un refus catégorique.

Flynn lui prit les mains pour la forcer à se lever.

— Tu le penses vraiment ?

— Oui. En expliquant que…

Mais il avait déjà toutes les explications qu'il voulait. Il l'embrassa. Pas un baiser bref et chaste comme celui qu'il lui avait donné à l'aéroport, parce que Liam s'était trouvé là. Non, ce baiser était spontané, sous l'impulsion du moment, parce qu'il tenait à la remercier, à lui dire combien il était heureux qu'elle fût là, à partager ses problèmes et sa vie.

En revanche, il n'avait pas prévu que ce baiser deviendrait affamé, comme une brûlante promesse de ce qui devrait arriver. L'effet de ces semaines de frustration, d'attente et de désir. Sa patience était à bout et le carcan qu'il s'imposait se rompit.

Le goût des lèvres de Sara le rendit tremblant, fougueux. C'était comme si elle venait d'allumer un brasier en lui. Elle entrouvrit les lèvres et leurs langues s'unirent, se mêlèrent…

— Pas devant les enfants, s'il vous plaît ! lança la voix joviale de Dev.

Sara s'écarta aussitôt et Flynn se jeta sur le canapé. Il n'avait pas envie de se ressaisir. Il voulait Sara, nue dans son lit.

Pour se donner une contenance, il se força à prendre le sandwich que son frère lui tendait.

— Je ne vois pas pourquoi tu veux que j'assiste à cet entretien.

Ce n'était pas la première fois que Sara posait cette question. Flynn la tenait fermement par la main et l'entraînait vers la banque.

— Tu as le droit d'être là. C'est toi qui as rédigé le projet, répondit-il, inflexible.

— Mais c'est ton château, ton avenir et celui de Dunmorey.

— Tu pourras aussi dire ça au banquier.

Il ouvrit la porte de l'agence et lui fit signe de le précéder.

Sara soupira. Elle ne savait même pas comment on traitait ce genre d'affaire en Irlande. Balayant ses objections, Flynn avait déclaré qu'elle s'y connaissait mieux que lui, et que si elle lui rendait ce service, il écrirait tout ce qu'elle voudrait.

Même « Je t'aime, Sara » ? se demanda-t-elle. C'était la seule chose qu'elle attendait de lui.

— M. Monaghan va vous recevoir, annonça la secrétaire.

Le banquier, un homme d'un certain âge aux manières obséquieuses, leur serra la main à tous trois, puis braqua son attention sur Flynn. Tout en ponctuant son discours de « Monsieur le Comte », il exposa la gravité de la situation, fit part de ses doutes quant à la rentabilité de l'investissement et termina par ces mots :

— Je crains que nous ne puissions vous offrir notre aide.

Sara aurait voulu l'étrangler ! Aussi ne put-elle en vouloir à Flynn quand, d'un geste brusque, il tendit par-dessus le bureau la liasse de feuillets qui étaient leur plan de développement, en disant de sa voix forte de châtelain :

— Maintenant, lisez ceci.

M. Monaghan eut l'air surpris, mais prit les papiers et se mit à lire.

Flynn, Dev et Sara attendirent, le souffle suspendu. Seul le tic-tac de la pendule ponctuait le silence qui s'étirait. Si Dev pianotait nerveusement sur sa cuisse, Flynn demeurait de marbre, constata Sara.

Au fur et à mesure qu'il lisait, le banquier haussait les sourcils, hochait la tête, faisait entendre de temps à autre un « hmm » avant de tourner une page.

A la troisième, il demanda :

— Qu'entendez-vous par : proposer le château comme chantier de restauration pour les professionnels du patrimoine ?

Dev et Flynn se tournèrent instinctivement vers Sara.

Alors, prenant une profonde inspiration, elle se lança et expliqua cette partie du projet. Suivit une salve d'autres questions. Le banquier repassait le dossier, prenait dcs notes.

Finalement, il posa les feuilles en un tas bien net, se renfonça dans son fauteuil et sourit pour la première fois.

— Cela semble très prometteur, Monsieur le Comte. Bien entendu, je vais devoir faire passer ceci en commission. Mais pour ma part je ne vois pas d'inconvénient. Espérons que Dunmorey sera à la hauteur de son potentiel. Quant à moi, j'ai confiance et je suis sûr que nous aurons plaisir à collaborer.

Même s'il avait grandi à Dunmorey et s'il en aimait ses terres et ses solides murs de granit, Flynn n'avait jamais considéré le château comme un véritable chez-soi.

C'était différent aujourd'hui.

— C'est fou ce qu'un peu d'argent réussit à tout transformer, dit Dev, trois semaines après que la banque leur eut accordé le prêt.

Il y avait une nouvelle toiture, des tentures neuves et les murs étaient fraîchement repeints. Mais le véritable changement, ils le devaient à Sara. Les vases de fleurs fraîches dans chaque pièce, c'était elle. Comme la lumière qui entrait à flots et éclaboussait les vieux meubles. Il n'y avait plus de portes fermées, si bien que les garçons — Liam et les jumeaux de la ferme — et les chiens circulaient librement. C'étaient les délicieuses odeurs de pâtisserie dans l'air, tandis que Daisy et elle se lançaient des défis culinaires. C'étaient les kilomètres de rails miniatures dans le salon jaune. Pour la première fois, il y avait de la joie et des rires à Dunmorey, songeait Flynn.

Il s'était attendu à ce que Mme Upham désapprouvât les initiatives de Sara, mais la vieille dame était charmée.

— Travailleuse, cette jeune femme. Elle se donne à fond.

Flynn ne pouvait qu'acquiescer sans réserve.

Sara travaillait d'arrache-pied. Et quand elle s'octroyait une pause, c'était pour s'occuper de la comptabilité de ses clients d'Elmer.

Flynn s'inquiétait. Il voulait qu'elle s'arrête. Il avait envie de s'occuper d'elle, de la choyer, de l'emporter dans son lit et lui demander de l'épouser. Mais il craignait de tout compromettre.

Il l'avait demandée en mariage une fois déjà et n'avait fait que la mettre en colère et l'éloigner un peu plus de lui. Aussi, il avait beau la désirer désespérément et vouloir la faire sienne pour toujours, il se taisait.

Il sentait aussi qu'elle n'était pas prête. Par exemple, elle n'entrait dans la salle à manger que pour y cirer les meubles. Et elle évitait le boudoir rose, le plus formel, celui où sa mère recevait ses invités.

Pourtant, Sara était très estimée à Dunmorey. Les employés louaient sa bonne humeur et son inépuisable vitalité.

— Où vas-tu chercher toutes ces idées ? lui demanda-t-il un soir qu'ils se promenaient au bord du lac, comme chaque fin de journée.

Sara haussa les épaules.

— Je regarde simplement autour de moi en songeant à ce que j'aimerais réaliser. Il y a beaucoup de chances pour que, si j'entame quelque chose qui me plaît, cela plaise aussi à d'autres.

*
* *

On lui cachait quelque chose. Flynn et Liam disparaissaient tous les après-midi et elle n'avait aucune idée d'où ils allaient, ni de ce qu'ils faisaient. Cela la rendait nerveuse, inquiète.

Les travaux d'embellissement du château, la rénovation des écuries allaient bon train, les visites et les tours de poney fonctionnaient à merveille. Sara était fière du travail qu'elle accomplissait et se sentait bien. Ou presque.

Car il y avait manifestement quelque chose qui clochait entre elle et Flynn. Quelque chose qu'elle ne parvenait pas à s'expliquer.

Il était heureux des changements à Dunmorey, Sara le lisait dans son attitude, dans ses regards. Et il s'investissait dans la restauration. Si chaque matin, il travaillait à son nouveau livre, ses après-midi étaient consacrés aux travaux de rénovation. Ou du moins, le faisait-il jusqu'à récemment.

Une fois, il disparut un après-midi entier. Sans doute une réunion avec les métayers ou des artisans locaux. Puis il avait commencé à emmener Liam. Et depuis deux semaines, ce manège se répétait chaque jour.

Ils ne disaient jamais où ils partaient. Quand elle posait la question à Liam, il répondait seulement :

— Je n'ai pas le droit de te le dire.

Sara se sentait mise à l'écart. Pourquoi, après avoir tant insisté pour qu'elle vienne en Irlande, Flynn l'évitait-il ?

Ils avaient échangé un baiser torride — que, Dieu merci, Dev avait interrompu — et c'était tout. Si elle exceptait bien sûr leur promenade au lac, le soir, quand Flynn la tenait par la main.

Peut-être hésitait-il. Peut-être en la voyant ici à Dunmorey, se rendait-il compte qu'ils étaient trop différents. C'était possible.

Chaque fois qu'elle passait devant cet immense miroir dans le hall, elle ne se sentait pas à sa place. Flynn devait le ressentir aussi et il ne savait comment le lui dire.

C'était d'autant plus probable aujourd'hui qu'elle venait d'endurer sa première réception : une douzaine de dames de la haute société étaient venues prendre le thé, dans le boudoir rose, rien de moins. Sara s'était sentie à cran.

Après leur départ, comme elle sortait dans le parc pour prendre un peu l'air, elle aperçut Flynn et Liam qui remontaient l'allée. Ils parlaient et riaient, mais dès qu'ils l'aperçurent, Liam souffla :

— Chut !

— On vous a attendus pour le thé, dit-elle, agacée par ces cachotteries.

Car les invitées avaient regretté l'absence de Flynn. Pas celle de Liam, bien sûr. Elles avaient été assez aimables envers elle, mais à l'évidence elles hésitaient sur le statut à lui donner. « Mère de l'enfant naturel du comte » n'était pas exactement un titre enviable.

— Nous étions occupés dans les bois, dit Flynn, visiblement gêné.

— A débroussailler les sentiers ?

C'était la seule occupation qui lui venait à l'esprit. Encore que celle-ci ne parût pas très raisonnable à cause de la jambe de Flynn.

— Non, viens voir ! répondit Liam en la prenant par la main.

Flynn haussa les épaules.

— Oui, pourquoi pas ?

— Où allons-nous ? demanda Sara.

— Voir ce qu'on a fait.

Elle n'était pas plus renseignée, mais elle les suivit.

La soirée était tiède, alors qu'on n'était encore qu'à la fin avril. Les fleurs du parc ondulaient sous la brise. Ils bifurquèrent juste avant d'atteindre le lac et s'enfoncèrent dans le bois. Arrivé à l'extrémité d'où l'on dominait les champs et la rivière, Liam s'arrêta.

— Là ! s'exclama-t-il fièrement en pointant le doigt.

— Quoi ? Où ça ?

Au début, elle ne vit rien de particulier. Puis, à quelques mètres de hauteur, parmi le feuillage, elle distingua un assemblement de planches. Elle écarquilla les yeux, stupéfaite.

— Oh ! C'est une… cabane ?

Liam opina.

— Moi et papa, on l'a construite ! Elle est super !

Il l'entraîna jusqu'au pied de l'arbre, puis se mit à grimper.

— Suis-moi, maman.

Mais avant de s'exécuter, Sara se tourna vers Flynn, émue.

— J'ai repensé à ce que tu m'as dit, déclara Flynn après une légère hésitation. Si quelque chose te plaisait vraiment, alors peut-être que quelqu'un l'aimerait aussi…

— Tu pensais à Liam ?

— A Liam, dit-il en la regardant au fond des yeux. Et… à toi.

Alors, elle comprit. Flynn les avait amenés à Dunmorey pour montrer à son fils son héritage, son passé. Le château était impressionnant, beau à sa façon et certainement mémorable. Mais en construisant une cabane dans un arbre de ses propres mains, il leur offrait une vraie maison.

Et c'est pourquoi ce soir-là, après avoir couché Liam, elle enlaça les doigts de Flynn et, le regardant dans les yeux, murmura :

— Je t'aime.

C'était une vérité qu'elle gardait dans son cœur depuis trop longtemps. Maintenant, elle la lui offrait.

Sara ne sut qui fit le premier pas. Noua-t-elle ses bras autour du cou de Flynn ou l'enlaça-t-il le premier avant de l'emporter vers sa chambre ?

Ils se retrouvèrent très vite dans la petite pièce simple au mobilier fonctionnel qu'il occupait, car il avait refusé d'emménager dans la chambre qui avait été celle de son père.

Mais pour Sara, peu importait le décor, seul comptait l'homme qui vivait là. Flynn Murray. Le seul homme qu'elle voulait dans sa vie.

Il l'étendit sur le lit et s'allongea près d'elle. Bien qu'il fût habillé, elle percevait la chaleur de son corps contre le sien. Les mains de Flynn glissèrent sous son pull, caressèrent sa peau. Sara sentit la rudesse de ses doigts. Des mains de travailleur, pensa-t-elle en souriant. Il gagnait sa vie avec les mots, mais ses mains avaient construit la petite cabane dans le bois, l'abri qu'il avait fait pour eux trois.

Doucement, elle les saisit et embrassa chacun de ses doigts, les mordilla.

— Sara, murmura-t-il. Tu ne perds rien pour attendre.

Elle lui sourit.

— Je sais.

Ces mots semblèrent le galvaniser, car il réussit à s'agenouiller maladroitement et lui ôta son pull. Sara se mit à le déshabiller à son tour. Quand il fut torse nu, elle fit courir ses mains sur sa peau ambrée recouverte d'une toison brune et vit qu'il retenait son souffle.

Les doigts agiles de Flynn eurent tôt fait de la débarrasser de son jean, puis il commença à lui caresser les jambes, remontant de la cambrure de ses pieds jusqu'à la jonction de ses cuisses.

Ce fut au tour de Sara de retenir son souffle, quand il glissa un doigt sous la dentelle de son slip et effleura son intimité soyeuse qui pulsait dans l'attente de ses caresses.

Elle se cambra et essaya fébrilement de finir de le dévêtir. Mais ses doigts tremblaient trop.

— Laisse-moi faire, dit-il en l'arrêtant.

Flynn se maintint maladroitement en équilibre. La douleur l'étreignit et il grimaça.

— Non, pas comme ça, dit Sara.

D'une poussée, elle le renversa sur le lit et voulut achever de le déshabiller.

— C'est horrible, la prévint-il en se redressant. Ne regarde pas.

— Ça fait partie de toi. Je veux tout connaître de ton corps, Flynn. Je t'en prie, dit-elle en rencontrant son regard vert dans la pénombre.

Il soupira, puis après une hésitation, s'étendit et lui offrit de se laisser voir tel qu'il était devenu.

Six ans plus tôt, elle avait été innocente, trop timide pour oser ce qu'elle faisait ce soir. Elle avait été transportée dans un rêve. Ce soir, c'était la réalité. Flynn était un homme de chair et de sang, pas un rêve de sa jeunesse. Il avait des blessures, des défauts. Elle aussi.

Elle se baissa et déposa des baisers sur son torse, son ventre ferme, ses cuisses et sa chair mutilée au-dessus du genou. Dans le mouvement, ses cheveux effleurèrent sa virilité. Il se raidit et un spasme le secoua. Il tendit les mains pour l'attirer contre lui.

— J'ai envie de toi, Sara. Maintenant..., souffla-t-il dans un murmure rauque, saccadé, urgent.

Le désir de Sara n'était pas moins intense. Aussi, quand il la serra dans ses bras et roula sur elle pour la couvrir de son corps, elle se cambra en gémissant pour mieux l'accueillir et le guider en elle.

— Oui... Sara. Ça fait trop longtemps. Je ne veux plus jamais que...

Ses paroles moururent sur ses lèvres alors que leurs corps s'accordaient en une danse sensuelle. Sara accompagnait chacun de ses mouvements avec passion. Elle revivait les mêmes folles sensations que celles qu'elle avait éprouvées six ans auparavant. La même mystérieuse alchimie opérait en eux comme si de tous temps ils avaient été créés l'un pour l'autre. Quand ensemble ils culminèrent dans l'extase, Flynn cria son nom et elle murmura le sien.

Plus tard, tandis qu'il dormait, Sara embrassa ses cheveux, sa joue, sa gorge en souriant à travers ses larmes de joie.

La joie de croire que son rêve de jeune fille était enfin devenu réalité.

10.

Le soleil qui jouait sur son visage éveilla Sara. Elle ouvrit les yeux, sentant son corps tiède, sans forces, et resta un instant désorientée. Puis un élan de joie la saisit en se rappelant où elle se trouvait. Dans le lit de Flynn.

Six ans plus tôt, ils avaient passé une nuit absolument magique, hors du temps. Mais la nuit dernière avait été plus belle encore, emplie de bonheur, de tendresse, de passion, l'apothéose de ces semaines, de ces mois passés à se connaître vraiment.

Oui, la nuit avait été sublime. Elle ne regrettait qu'une seule chose : que Flynn ne fût pas là à son réveil. Elle caressa l'oreiller froissé auprès d'elle et comprit qu'il était levé depuis longtemps.

Elle ne se souvenait pas de l'avoir entendu quitter le lit. En revanche, elle se rappelait son baiser. Ou l'avait-elle rêvé ? Peu importait. Ils avaient toute la vie pour s'embrasser.

Bien sûr, ils retourneraient à Elmer. Peut-être se marieraient-ils là-bas. Ou ici ? Cela n'avait pas d'importance. Elle avait seulement besoin de lui.

Parce qu'il lui demanderait de nouveau de l'épouser. Dans la cabane de l'arbre peut-être ? Ou alors, cette fois, ce serait à elle de le demander en mariage. Cette initiative ne revenait pas forcément à l'homme. En tout cas, elle lui poserait la question s'il était là. Mais où était-il ?

Roulant sur le côté, Sara consulta le réveil sur le chevet. 10 heures ! Oh ! Mon Dieu !

Instantanément, elle bondit du lit, enfila en hâte ses vêtements de la veille et se précipita vers sa propre chambre, en espérant que Liam ne la verrait pas.

Elle ne rencontra personne. Tous devaient déjà être levés depuis longtemps et Flynn avait dû préparer le petit déjeuner de Liam. Elle donna rapidement un coup de brosse à ses cheveux, particulièrement rebelles ce matin. La douche, ce serait pour plus tard, car elle avait prévu de nettoyer le vieux poulailler avec Liam.

Puis elle descendit en hâte, adressant au passage un petit sourire à la galerie des défunts Murray en se disant que finalement ceux-ci l'auraient approuvée de vouloir sauvegarder leur patrimoine.

La cuisine était vide, rangée, la vaisselle faite. Sara fronça les sourcils. Qu'est-ce que ça signifiait ? Daisy ne commençait jamais sa journée par là. Et où étaient-ils tous passés ?

Dev se trouvait probablement dans les écuries, mais Flynn et Liam ? A la cabane dans l'arbre ? Possible. Comme elle traversait le hall pour sortir du château, elle entendit la voix excitée de Liam… en provenance du boudoir rose, le salon d'apparat.

Il parlait si vite qu'elle ne saisissait pas un traître mot de ce qu'il disait. Pas plus qu'elle ne devinait à qui il parlait. Pas à Flynn. A moins que celui-ci n'ait décidé de donner à leur fils une leçon d'histoire ?

Lentement, elle ouvrit la porte et trouva la pièce pleine de monde. Toutes les personnes présentes se tournèrent vers elle. Dev lui sourit, Liam avait une mine réjouie et Flynn… parut mal à l'aise.

Quant aux deux autres personnes, des femmes, elles la dévisagèrent comme si Sara venait effectivement de nettoyer le poulailler ! La plus âgée, une femme élégante d'une soixantaine d'années, arborait un air aristocratique, avec ses traits distingués, ses sourcils artistiquement arqués et ses cheveux gris perle dont la coupe faussement informelle avait dû coûter une fortune. Tout en elle respirait la comtesse.

Oh, mon Dieu ! Sara eut envie de rentrer sous terre en prenant conscience qu'elle rencontrait sa future belle-mère. L'autre femme, plus jeune, avait un air réservé, des boucles blondes. Elle portait un tailleur très chic, un collier de perles…

Sara songea à ce que sa mère aurait dit en pareilles circonstances : *Courage ! A moins d'avoir fait quelque chose de mal, tu n'as pas à t'excuser de quoi que ce soit.*

Et comme Polly l'aurait fait, elle lança un joyeux bonjour.

Flynn posa sa tasse et se leva immédiatement, souriant.

— Bonjour !

Il fit un pas vers elle, mais ne put aller plus loin, bloqué par la table, le fauteuil qu'occupait sa mère et celui où avait pris place la femme blonde. Aucune d'elles ne semblait vouloir se déplacer.

Flynn hésita, puis reporta son attention sur la comtesse.

— Mère, j'aimerais te présenter Sara…

Sara préparait déjà son plus beau sourire, quand Flynn s'interrompit.

Alors quoi ? Elle était simplement Sara ?

Il eut l'air de vouloir ajouter quelque chose, sans trouver les mots.

Dieu merci ! Liam ne fut pas aussi emprunté. Délaissant le camion avec lequel il jouait sur le tapis, il courut se jeter dans les bras de sa mère.

— Ma maman ! annonça-t-il fièrement.

Sara pressa contre elle son petit corps ferme et le soulagement l'envahit.

— Ah ! Oui, ta mère, murmura la comtesse. Je vois.

Elle toisa Sara par-dessus sa tasse et la jeune femme fut aussitôt persuadée que ce qu'elle voyait ne lui plaisait pas.

Une partie d'elle-même, celle qui avait été au supplice la veille devant les vieilles dames guindées venues prendre le thé, eut envie de fuir. Mais elle était avant tout la fille de Polly et Lewis McMaster. Aussi demeura-t-elle là où elle était.

Flynn, qui avait recouvré sa voix de châtelain, termina sa phrase.

— Voici Sara McMaster, dit-il. Ma mère, la comtesse de Dunmorey.

Qu'en était-il de son soutien moral, de sa demande en mariage, de son amour ? s'interrogea Sara, désemparée par ces présentations. Etait-ce le même homme qui lui avait fait l'amour si tendrement et si ardemment la nuit dernière ? Celui qui lui avait construit une cabane dans le bois ?

A cet instant, il avait l'air agacé, embarrassé, comme s'il avait voulu être ailleurs.

Bienvenue au club ! pensa-t-elle avec irritation.

— Mademoiselle McMaster.

La comtesse inclina légèrement la tête et adressa à Sara un sourire froid et figé, signe qu'elle reconnaissait sa présence. Mais ce n'était pas un salut de bienvenue.

Sara sourit à son tour, espérant avoir l'air plus sincère, et avec toute la politesse dont elle était capable, elle répondit :

— Enchantée de faire votre connaissance, Madame la Comtesse.

Ou était-ce lady Murray qu'il convenait de dire ? Elle n'en avait aucune idée, et Flynn ne s'était pas donné la peine de lui enseigner les règles du protocole.

— Tu es américaine. Personne ne te demandera de connaître ces choses-là.

Sauf Madame-la-Comtesse-Lady-Murray, apparemment.

— C'est Sara qui a eu l'idée des chambres d'hôtes dont

je te parlais, déclara Flynn en souriant. Et des visites du parc. Sans compter qu'elle nous a beaucoup aidés pour la rénovation des salles.

— Tu oublies les tours de poney, renchérit Dev avec un clin d'œil à Sara. Elle a des tas de bonnes idées.

Lady Dunmorey n'en paraissait pas convaincue.

— Elle a fait ça ? Elle a été très occupée.

Sara n'attendait pas son approbation, seulement que la mère de Flynn cesse de parler d'elle comme si elle n'était pas là. Mais Flynn n'en faisait-il pas autant ?

— Elle a rédigé le dossier de financement. Monaghan a été impressionné. La dernière fois que je l'ai rencontré, il m'a suggéré de faire d'elle ma directrice commerciale !

Le sourire qu'il adressa à Sara l'invitait à partager ce triomphe. Mais Sara ne se sentait nullement dans cet état d'esprit. *Directrice commerciale ?...*

— Juste ciel ! s'exclama la comtesse en s'adressant directement à elle pour une fois. Il semble que vous ayez rendu d'indispensables services ici. J'espère que Flynn n'a pas oublié de vous inscrire au registre de nos employés.

— Sara n'est pas une employée, mère ! dit Flynn avec véhémence.

La comtesse sourit avant de se reprendre :

— Bien sûr, mon fils. Elle est la mère de ton... enfant.

L'hésitation n'échappa pas à Sara. Bouillant de rage, elle attendit que Flynn dise quelque chose — n'importe quoi ! — qui clarifierait sa position.

Mais il se contenta d'acquiescer d'une voix brève :

— Précisément.

Il n'ajouta pas qu'elle était la femme dont il était amoureux et qu'il espérait épouser. Parce qu'il ne le pensait probablement pas, songea Sara.

Elle sentit qu'une poigne glacée lui étreignait le cœur,

mettant en déroute les certitudes qui l'habitaient le matin même.

Peut-être était-elle seulement bonne pour lui servir de directrice commerciale, partager son lit et être la mère de son fils. Maintenant que Dunmorey prospérait de nouveau, sans doute jugeait-il qu'elle n'avait pas sa place dans leur bonne société.

Et, mon Dieu, comme il avait raison !

— Tu pourras discuter de ce financement avec Abigail, dit la comtesse en se tournant vers la jeune femme blonde avec un sourire chaleureux. Elle vient de terminer son mastère en finances. Je suis sûre qu'elle te sera d'une aide précieuse.

A quel titre ? se demanda Sara, alarmée. Seigneur ! La comtesse avait-elle l'intention d'installer Abigail comme... châtelaine de Dunmorey ? *Comme la femme de Flynn ?*

Et lui, qu'en pensait-il ?

Peut-être trouvait-il l'idée excellente. Abigail était certainement mieux assortie qu'elle-même à la pompe et l'apparat. Oui, s'il voulait redonner à Dunmorey son lustre d'antan, alors Abigail était le genre de femme qu'il lui fallait.

— Du thé ? offrit lady Murray.

Sara acquiesça et, d'une main nerveuse, accepta la tasse que la mère de Flynn lui tendait.

— J'ai été surprise de faire la connaissance de Liam en arrivant ce matin, poursuivit la comtesse.

Sara lança à Flynn un regard accusateur. Ainsi, il n'avait pas prévenu sa mère de l'existence de son fils ? Pas plus que son frère ? Elle ne savait que penser.

— Je rendais visite à ma sœur en Australie, expliqua la comtesse. Gloria et moi vivons si éloignées l'une de l'autre que nous passons régulièrement plusieurs mois ensemble. Evidemment, je n'avais aucune idée de ce qui se passait ici... Mais mon voyage a été très profitable, puisque j'ai eu la chance de retrouver une ancienne amie, Letty, qui m'a laissée emmener sa merveilleuse fille. Abigail est exactement moi à son âge.

Sara parvint à esquisser un sourire. Dev parut sur le point d'éclater de rire. Pourtant, elle ne trouvait rien de drôle à la situation.

— Abigail est même une pianiste plus accomplie que je ne l'étais, renchérit la comtesse.

— Oh ! C'est juste que j'aime la musique, répondit timidement l'intéressée.

— Jouez-vous d'un instrument, mademoiselle McMaster ?

Sentant la moutarde lui monter au nez, Sara répondit d'une voix brève :

— Pas du tout. Je n'ai aucun talent musical.

— Sara sait faire beaucoup d'autres choses, intervint Flynn, prenant maladroitement sa défense.

Cette fois, Sara en eut assez. Pourquoi perdait-il son temps à essayer d'impressionner sa mère ? Il était clair que l'opinion de celle-ci était déjà faite. Et si Flynn ne pensait qu'à énumérer ses compétences, elle n'avait rien à faire là.

— En revanche, mon frère Jack joue du mirliton, et mes sœurs de la planche à laver et des cuillères.

— Planche à laver ? Cuillères ? fit la comtesse en écho.

Même Flynn écarquilla les yeux à cette annonce.

— Que c'est… divertissant, dit la comtesse. Vous êtes sûrement impatiente de les revoir.

— Oui, répondit Sara, sentant cette impatience grandir de minute en minute.

— J'en suis sûre. D'après ce que Liam m'a dit, vous êtes ici depuis un moment. Combien de temps comptez-vous rester ?

Flynn allait répondre, mais Sara le devança.

— Nous partons demain matin.

Flynn reposa sa tasse avec fracas.

— *Quoi ?*

Il la fixait, sidéré. Mais Sara sut, au moment où elle lançait ses mots, qu'elle prenait la bonne décision. L'expression sur le visage de la comtesse le lui confirma.

— Nous avons pris des billets aller-retour, déclara-t-elle avec fermeté. Nous sommes là depuis six semaines, c'est suffisant.

— Il n'en est pas question ! s'écria Flynn, le visage contracté par la fureur.

— Flynn, tu ne peux pas diriger tout le monde à ta guise, intervint sa mère.

Il lui jeta un regard furibond. Cependant, Sara était plus inquiète de la réaction de Liam. Le regard du petit garçon exprimait une angoisse sans nom.

— On va rentrer chez nous ? Demain ?

Oh, mon Dieu ! Pourvu qu'il ne se mette pas à pleurer !

— Nous étions en vacances, Liam, commença-t-elle de sa voix la plus apaisante. Nous sommes venus rendre visite à ton papa, pas pour habiter chez lui. Une fois à Elmer, tu reverras Annie et Braden, tante Célie et oncle Jace, et aussi papy et mamie.

Elle aurait énuméré toute la population d'Elmer ou même du Montana pour le consoler.

La lèvre de Liam se mit à trembler.

— Et la cabane ? On vient juste de la finir. Je voulais jouer dedans et…

— Une cabane ? répéta la mère de Flynn en regardant son fils. Tu as osé ? Le comte ne le permettait pas…

— Je suis le comte, coupa Flynn avec autorité.

Sara profita de ce moment pour ramasser le camion de Liam.

— Viens, dit-elle au petit garçon. Allons nettoyer le poulailler. Ensuite, nous ferons nos bagages. Mesdames, j'ai été enchantée de vous rencontrer. Je vous souhaite une bonne journée.

Puis prenant Liam par la main, elle sortit du boudoir sans un autre regard.

La porte de la chambre était fermée, mais Flynn passa outre.

— Va-t'en ! lança Sara en le voyant entrer.

— Non, je ne pars pas. Et toi non plus.

Sara pensait justement le contraire. Elle avait ouvert deux valises sur le lit qu'elle remplissait de vêtements.

— Oh ! Si, rétorqua-t-elle avec une fureur qu'elle avait du mal à contrôler.

— Ne sois pas si obstinée, dit Flynn. C'est un malentendu. Ma mère ignorait ce qu'il y avait entre nous.

— Si seulement tu avais pris la peine de lui parler, nous n'en serions pas là !

Ce disant, elle jeta une pile de vêtements dans une des valises. Flynn s'en empara et les remit dans le tiroir de la commode.

— Je ne savais pas que ma mère arrivait aujourd'hui ! Elle a débarqué pendant le petit déjeuner avec cette… cette…

— Candidate au mariage ? suggéra Sara d'un ton suave.

Flynn sentit le sang lui monter au visage.

— Ce n'était pas mon idée ! Ma mère pensait m'aider.

— Et peut-être qu'elle a bien fait.

— Ne dis pas de sottises !

— Elle n'aurait probablement pas pris cette peine si tu lui avais dit que tu n'étais pas libre.

— Mais je l'étais, puisque tu avais dit non !

— Exact. Et je n'aurais jamais dû changer d'avis !

— Sara…

— Non ! J'ai commis une erreur. J'en ai déjà commis un

certain nombre en ce qui te concerne. Cette fois, je pensais que ça marcherait entre nous…

— Bonté divine ! Ma mère connaît la vérité à notre sujet maintenant. Elle sait que je t'aime, que toi et moi…

— Sommes trop différents ? Oh ça, elle le sait parfaitement ! jeta Sara en pivotant pour lui faire face. Je ne savais même pas comment m'adresser à elle !

— T'adresser à qui ? répéta-t-il sans comprendre.

— Ta mère ! Est-elle comtesse, duchesse ? Est-ce que je sais ? Tu vois bien que je n'appartiens pas à votre monde !

Flynn lui prit des mains la brassée de vêtements.

— Bien sûr que si ! Qui a redonné vie à ce fichu tas de pierres ? Qui a mis la banque de notre côté ? Qui a fait rénover le haras ? Qui a organisé les visites à thème, mis des fleurs dans les vases… ?

— Je suis sûre qu'Abigail sait arranger les fleurs mieux que moi !

— Je ne veux pas de cette fille, tu m'entends ? C'est toi que je veux !

— C'est impossible.

Et reprenant le linge qu'il venait de déplacer, elle le fourra dans la valise dont elle referma le couvercle d'un coup sec.

— Sara…

Elle secoua la tête et croisa les bras.

— Je ne t'empêcherai pas de voir Liam. Nous pouvons arranger des visites. Il passera les étés avec toi, par exemple.

— Epouse-moi, Sara. Et nous n'aurons pas besoin d'en arriver là.

— Non, Flynn.

— Tu m'aimes !

— Je t'ai aimé. Je t'aime peut-être, reconnut-elle. Mais je ne vivrai pas dans une famille où je ne serais que tolérée.

— Quoi ? Qui t'a dit…

— Personne ! Seulement je le sens. Et tu es bien placé pour le comprendre. Toi et ton père…

— J'ai compris, marmonna-t-il, les lèvres pincées.

— Ta mère a raison. Tu as besoin d'une femme de ton milieu, qui se sente à sa place ici. Abigail.

— Pour l'amour du ciel, ne me parle plus d'Abigail ! C'est toi que je veux !

Sara secoua de nouveau la tête.

— Je pars demain, Flynn. Et il n'y a rien que tu puisses faire ou dire pour m'arrêter. Tu peux nous conduire à l'aéroport si tu y tiens. Sinon, j'appellerai un taxi.

— Je te défends de prendre un taxi !

Sur ces mots, il quitta la chambre, la rage au cœur.

Le moins qu'on puisse dire était que Liam n'était pas heureux de rentrer. Il était têtu, grognon, et avait le cœur gros à l'idée de se séparer d'O'Mally.

— Pourquoi il peut pas venir ? demandait-il sans cesse à Sara.

— Parce que nous n'avons pas de place et que Sid en aurait peur.

— Sid l'aimerait bien. Et si on restait, y'aurait plein de place. Sid pourrait venir, lui.

Il était impossible de le raisonner. Et Sara avait trop de peine pour raisonner elle-même. Elle qui d'ordinaire avait les pieds sur terre et aimait les situations logiques se sentait comme une pauvre chose tremblant d'émotion.

La faute en incombait à Flynn Murray.

Pas tout à fait, rectifia-t-elle. Car elle était pour une bonne part responsable de ce qui arrivait. Elle s'était enflammée trop vite, saisie par ce défi de sauvegarder Dunmorey et par son rêve de vivre heureuse avec l'amour de sa vie.

Mais ce n'était pas parce qu'on était capable de rénover

un château qu'on finissait nécessairement par en épouser le prince, n'est-ce pas ? Ou le comte, dans ce cas.

Elle dîna dans sa chambre, laissant Flynn passer cette dernière soirée avec Liam. Bientôt, pourtant, il déclara qu'il avait du travail et elle emmena Liam jusqu'à la ferme pour dire au revoir à ses copains de jeu, Frank et Joe. Les trois garçons échangèrent quelques mots du bout des lèvres avant de se donner l'accolade. Puis Sara le conduisit à l'écurie pour voir les chevaux.

— Dev allait me laisser monter Tip-Top, se plaignit Liam.

— Tu pourras monter Tip-Top quand tu reviendras ici pour les vacances.

— Je ne veux pas venir en vacances. Je veux vivre ici !

Elle aussi, mais ça ne marcherait jamais, se dit-elle.

— On n'a pas toujours ce que l'on veut, Liam.

Liam prit un air buté et se mit à donner des coups de pied dans les cailloux. Sara suggéra qu'ils aillent à la cabane de l'arbre. Elle-même aurait aimé s'asseoir dans l'abri et ressasser son chagrin. Mais il refusa.

— J'ai pas envie, na !

— Très bien. C'est toi qui décides.

— Si c'était à moi de décider, on resterait ici d'abord ! dit Liam avec colère.

Sara se tut. Même Polly n'aurait pas trouvé de réponse à cela.

Quand ils arrivèrent au château, tout était silencieux. D'habitude, ils se réunissaient dans le salon jaune après le dîner et bavardaient, riaient, jouaient avec Liam. Ce soir, la pièce était silencieuse. En revanche, il y avait de la lumière dans le bureau de Flynn.

— Je veux voir papa, dit Liam en courant vers la porte.

— Il est peut-être occupé, le prévint Sara.

Liam passa outre et poussa le battant. Assis à son bureau,

Flynn écrivait. Son visage s'illumina à la vue de son fils et il lui ouvrit les bras.

— Papa ! s'écria Liam en se précipitant vers lui.

Dans le hall, Sara se figea. Elle rencontra le regard de Flynn par-dessus l'épaule de leur fils et sentit sa gorge se nouer douloureusement.

— Sara…

— Passe ce moment avec lui. Ensuite, mets-le au lit. Nous devons partir à 9 heures demain. Je te reverrai à ce moment-là.

Sur quoi, elle s'élança dans l'escalier sans regarder en arrière.

A 8 h 55, elle se tenait avec Liam dans le hall d'entrée, leurs bagages près de la porte. O'Mally était là aussi et avait l'air inquiet. Liam faisait peine à voir. Dev le pressa contre lui.

— Tu reviendras, dit-il. Ou peut-être que je viendrai, moi, te rendre visite.

Liam releva la tête, plein d'espoir.

— Quand ?

Dev, qui visiblement ne s'attendait pas à être pris au mot, réfléchit un moment.

— En août, ce sera possible.

— C'est dans longtemps ?

— Deux mois.

Liam soupira tristement, puis suggéra :

— Peut-être que tu pourras emmener O'Mally ?

— Peut-être, acquiesça Dev.

Il se tenait là, ne sachant comment les quitter. Ce fut Sara qui le délivra de son embarras.

— Je suis sûre que tu as beaucoup de travail ce matin, comme de préparer les poneys pour les promenades…

Elle s'interrompit. Ces mots étaient si durs à prononcer tout à coup.

Dev acquiesça.

— Sinon, tu peux nous emmener à l'aéroport, ajouta-t-elle en consultant sa montre. Si Flynn ne se dépêche pas.

Elle ne l'avait pas revu depuis la veille. Il n'avait pas été là au petit déjeuner. Ni la comtesse ni Abigail, d'ailleurs. Sara avait déjeuné en compagnie de Daisy et de Mme Upham. La voiture de Flynn n'était pas là non plus.

— Il ne va pas tarder, assura Dev.

Mais il était 9 heures à présent, et il n'y avait toujours aucun signe de lui.

— Nous ferions mieux d'appeler un taxi, décida Sara.

— Flynn va arriver, répéta son frère.

Sara tapa du pied, consulta de nouveau sa montre. Il n'allait quand même pas leur faire rater l'avion ?

A cet instant précis, la voiture apparut au bout de l'allée et tous sortirent sur le perron. Flynn s'arrêta et descendit de voiture, l'air grave et résolu.

— *Slan leat*, dit Dev. A bientôt.

Sara savait qu'il existait une réponse appropriée en gaélique, mais elle était incapable de s'en souvenir. Elle ne pouvait songer à rien d'autre qu'à conserver son sang-froid et sa détermination.

— Au revoir, Dev.

Puis elle se tourna vers son fils.

— Monte dans la voiture, Liam.

Au lieu d'obéir, le petit garçon se jeta au cou d'O'Mally Le cœur serré, Sara dut détourner les yeux.

— Nos valises sont dans le hall, dit-elle à Flynn. Je vais les chercher.

Comme s'il ne l'avait pas entendue, il ouvrit le coffre puis entra dans le hall. Quelques secondes plus tard, il reparut, portant la valise de Liam.

— Dans la voiture, Liam. Maintenant.

Un autre câlin déchirant unit l'enfant et le chien. Sara souhaita ne pas avoir à le traîner de force. Cette perspective lui broyait le cœur.

Flynn ressortait, portant ses bagages à présent. Il les chargea avant de retourner à l'intérieur.

Cette fois, ils étaient prêts à partir.

— Liam, appela-t-elle.

Elle vit le petit visage se crisper, mais bravement, l'enfant s'écarta du chien et grimpa sur le siège arrière. Une fois dans la voiture, il se cacha la figure entre les mains.

Flynn arriva avec deux valises qu'il déposa dans le coffre, avant de retourner encore une fois vers le château. Sara fronça les sourcils.

— Celles-ci ne sont pas à moi, s'étonna-t-elle quand il reparut. Et ça non plus.

Elle venait de remarquer qu'il portait un sac de voyage. Flynn le tassa près des valises et ferma le coffre.

— Je sais. Ce sont mes bagages.

Sara le fixa, perplexe, sous le choc.

— Que… Qu'est-ce que tu viens de dire ?

— J'ai fait mes valises. Je viens avec vous.

— *Quoi ?*

Elle avait dû crier, car tout à coup Liam colla son visage contre la vitre.

— Oui, je viens avec vous. Dans le Montana. A Elmer. N'importe où, ça m'est égal.

Sara sentit ses jambes flageoler. Elle ne comprenait plus rien.

— Flynn, tu ne peux pas partir.

— Bien sûr que si ! Je fais ce qui me plaît, répondit-il de sa voix de châtelain. J'ai tout plaqué. Démissionné, abdiqué… Appelle ça comme tu voudras. Tu ne veux pas de moi à cause de mon titre de comte. Eh bien, je n'en ai rien à faire de ce fichu titre !

— Ne sois pas ridicule ! Bien sûr que tu veux être comte. Tu tiens à prouver…

— J'en ai fini avec ça. Je ne veux pas passer ma vie à démontrer que mon père avait tort. Je sais ce que je vaux et je n'ai pas besoin d'être comte pour ça. Je veux seulement faire de mon mieux et… être heureux.

Il s'interrompit et regarda Sara avec des yeux noyés d'amour.

— Et je le suis seulement quand je suis avec toi.

Alors, brusquement, il se mit à pleuvoir. Ou étaient-ce les larmes qui lui brouillaient la vue ? Sara n'en savait rien, car dans ce brouillard elle ne distinguait plus que Flynn.

Il était devant elle, silencieux et si droit. Au point qu'elle faillit le renverser en volant dans ses bras.

— Oh, Flynn !

Elle sentit ses bras lui enserrer la taille, la plaquer contre lui, la retenir comme si elle était sa dernière chance de salut.

— Sara, articula-t-il d'une voix brisée. Sara ?

Elle releva la tête et murmura, les yeux brillants :

— Je… Je ne pars plus.

Il l'embrassa alors et elle lui rendit son baiser. Ils s'enlacèrent avec fougue, avec tendresse, riant et pleurant à la fois. La pluie — car il pleuvait vraiment maintenant — s'était mise à tomber en une violente averse. Ils s'en moquaient, n'en avaient même pas conscience. Jusqu'à ce qu'une petite voix demandât :

— Ça veut dire qu'on peut rester ?

La mère de Flynn était dans le hall quand ils rentrèrent enfin. Elle regarda son fils et Sara, trempés, qui se tenaient amoureusement par la taille, et sourit avec chaleur.

Sara n'en revenait pas. Elle regarda la comtesse, puis son propre reflet dans le miroir. Elle avait l'air minuscule, perdue… et mouillée, comme d'habitude. Sauf que l'homme qu'elle aimait l'enlaçait tendrement. Flynn l'aimait. Et ensemble, ils étaient si grands !

— Le devoir d'une mère est de veiller à l'avenir et au bonheur de son enfant, déclara lady Murray. En tant que mère de Liam, vous me comprenez sûrement.

Sara acquiesça.

— Je ne vous connaissais pas, poursuivit-elle. Flynn préfère les conversations privées pour annoncer les grandes nouvelles. Et il ne voulait pas parler devant une étrangère. Abigail est une fille charmante, mais de toute évidence, elle n'est pas faite pour lui.

— Il n'y a qu'une femme qui me convienne, décréta Flynn.

— C'est ce que je vois, dit sa mère en tendant la main à Sara. Il a raccompagné Abigail à l'aéroport tôt ce matin. Voilà pourquoi il était en retard.

Encore médusée par le tour que prenaient les événements, Sara accepta la main de la comtesse. Une poigne chaleureuse et… bizarrement rugueuse.

La mère de Flynn sourit.

— Eh oui ! Je sais aussi me salir les mains, expliqua-t-elle. Je jardine. Peut-être pourrais-je vous aider pour les visites du parc… Si Flynn a réussi à vous convaincre de rester.

— Je ne reste pas, dit Flynn avec fermeté. J'ai demandé officiellement que Dev reprenne le titre de comte de Dunmorey. Et si la requête n'est pas acceptée, ça m'est égal…

— Ne dis pas ça ! l'interrompit Sara. Tu ne peux pas abandonner ton titre.

— Si. Il n'y a plus qu'à…

— Flynn, n'en fais rien. Je refuse !

Il la fixa, perplexe.

— Mais tu ne voulais pas…

— Je refusais d'épouser un homme qui pensait que je n'étais que la mère de Liam et une directrice commerciale. Je voulais compter plus que ça.

— Tu as toujours compté ! protesta-t-il. Enfin, Sara ! Quel nom t'ai-je donné jusque-là ? *A stór*, mon cœur. Je suis incapable de vivre sans toi. Alors que cc fichu titre…

— Fait partie de toi. Et j'aime l'homme que tu es. Nous pourrons retourner à Elmer de temps en temps. J'aime ma ville. Mais je t'aime bien plus encore.

— Moi aussi ! s'écria soudain Liam.

Un immense sourire fendait son petit visage mouillé de larmes et de pluie. Son bras était passé autour du cou d'un O'Mally qui semblait sourire, lui aussi.

Le mariage eut lieu à Elmer en août. La comtesse de Dunmorey — « Appelez-moi Minnie, je vous en prie ! » — gagnait tous les cœurs.

— Ta mère est devenue très populaire. Elle a un charme irrésistible, dit Sara.

Elle était lovée dans les bras de l'homme de ses rêves. Le bal continuait dans la salle des fêtes. Quand ils s'étaient éclipsés pour gagner leur chambre, la comtesse dansait un quadrille avec Loney Bates, de la quincaillerie.

— Pas autant que toi, répondit Flynn.

Il avait encore du mal à croire qu'il lui avait enfin passé la bague au doigt. Il lui en avait fallu du temps. Liam avait presque six ans.

— Sara, dit Flynn de sa voix de châtelain qui la fit taire instantanément. Je refuse de passer notre lune de miel à discuter de ma mère.

Elle fit mine de réfléchir à ces paroles, avant d'effleurer

la jambe de Flynn de son pied nu et de se blottir contre son épaule.

— Aurais-tu par hasard d'autres idées ? susurra-t-elle, câline.

— Hmm, je pense que j'arriverai à en trouver quelques-unes, répondit-il en la faisant rouler sur le dos pour la couvrir de baisers.

Sara se trémoussa en riant. Puis comme la bouche sensuelle de Flynn lui distillait d'exquises tortures, elle lui agrippa les épaules.

— Flynn…

— Oui ? demanda-t-il dans un souffle sans cesser son manège excitant.

Grisée, Sara laissa échapper une plainte rauque. Bientôt, ils ne firent plus qu'un, unis dans cette extraordinaire fusion charnelle qui les transportait hors du monde.

— Tu as… des idées merveilleuses, murmura-t-elle contre sa bouche.

Souffles mêlés, paupières closes, ils s'envolèrent ensemble vers les sommets de la jouissance.

— Oui, merveilleuses…, confirma Sara en revenant à la réalité, beaucoup plus tard.

Flynn sourit contre ses lèvres.

— J'en suis heureux. Je t'aimerai toujours, *a stór*. Et je te promets d'avoir beaucoup d'autres idées de ce genre-là.

LA VENGEANCE À TOUT PRIX, *Diana Hamilton* • N°2903

Cinq ans plus tôt, Diego est tombé fou amoureux de Lisa, une jeune Anglaise de dix-huit ans qui passait ses vacances en Espagne. Si amoureux qu'il voulait l'épouser et partager sa vie avec elle. Mais Lisa l'a humilié, avant de disparaître sans explication. Aujourd'hui, Diego a les moyens de se venger et de faire d'elle sa maîtresse…

PASSION À BORNÉO, *Cathy Williams* • N°2904

Persuadée que Nick Papaeliou, un don juan invétéré, veut séduire sa jeune sœur Lily, Rose oppose à celui-ci une hostilité sans concession. Mais quand il lui propose de l'accompagner à Bornéo pour y travailler avec lui à l'ouverture d'un hôtel de luxe, Rose se demande soudain si elle ne s'est pas trompée sur ses intentions…

LA PRINCESSE INTERDITE, *Lucy Monroe* • N°2905

Pour échapper à un mariage arrangé par son père, le roi de Marwan, Lina décide de fuir. Mais c'est compter sans la redoutable efficacité de l'homme chargé de la retrouver et de la ramener à sa famille ! Un homme qu'elle connaît bien puisqu'elle est autrefois tombée amoureuse de lui, avant de comprendre qu'il l'avait manipulée…

EN DÉPIT DU PASSÉ, *Elizabeth Power* • N°2906

Pétrifiée, Mel aperçoit soudain, sur la plage de Positano où elle passe ses vacances, l'homme avec lequel elle a autrefois passé une unique nuit d'amour. Que fait ici celui qu'elle tient pour responsable de la mort de sa sœur, et qu'elle n'a jamais voulu revoir ? Avec un frisson de peur, Mel se demande s'il va la reconnaître après toutes ces années, et comprendre qu'il est le père de sa fille…

UN CHEIKH AMOUREUX, *Sandra Marton* • N°2907

- Trilogie Irrésistibles Cheikhs -

PREMIÈRE PARTIE

Madison pense qu'il ne lui manque qu'une chose dans la vie : un bébé. Pour autant, elle n'envisage pas un instant de sacrifier sa liberté et son indépendance ! Sa décision est prise : elle aura recours à une insémination artificielle. Mais quelques semaines plus tard, elle apprend avec stupeur qu'à la suite d'une erreur, elle porte l'enfant du cheikh de Dubaac, et que celui-ci veut son héritier !

Attention, numérotation des livres pour le Canada différente : numéros 1523 à 1528

www.harlequin.fr

A paraître le 1er juin dans la collection LES HISTORIQUES

LES HISTORIQUES

"Le tourbillon de l'Histoire, le souffle de la passion"

6 romans inédits tous les 2 mois, le 1er du mois

— 5,95 € —

Un conseil, une commande : 01.45.82.47.47 www.harlequin.fr

Composé et édité par les
éditions Harlequin
Achevé d'imprimer en mai 2009

à Saint-Amand-Montrond (Cher)
Dépôt légal : juin 2009
N° d'imprimeur : 90618 — N° d'éditeur : 14305

Imprimé en France